Chère lectrice,

Ce mois-ci, votre collection Horizon vous propose quatre histoires pleines de tendresse et de gaieté, quatre romans à savourer avec délices, en même temps que les premiers rayons du soleil...

Dans *Tendres ennemis* (n° 2111), vous découvrirez la romance de Shane et Mariah qui, comme Roméo et Juliette, appartiennent à des familles ennemies... Un obstacle auquel ils vont se heurter très vite quand, après une nuit de passion dans les bras de Shane, Mariah s'aperçoit qu'elle est enceinte... Brandon, lui, a décidé qu'il en avait fini avec l'amour depuis la mort de la femme qu'il aimait. Mais c'était sans compter sur l'intervention de Kristy, sa fille de huit ans, qui a tout prévu pour le remarier ! (*Un amour de papa*, n° 2112). Jennifer, quant à elle, ne sait comment aborder Trace quand elle le revoit après huit ans de séparation. La seule chose dont elle est sûre, en tout cas, c'est qu'elle est toujours amoureuse de lui... (*Emouvantes retrouvailles*, n° 2113). Enfin, dans *Une charmante baby-sitter* (n° 2114), vous verrez que Max, malgré ses airs bougons, est bien content quand la jolie Carla vient l'aider à s'occuper de ses jumeaux de quatre

Bonne lec

lection

Tendres ennemis

PATRICIA THAYER

Tendres ennemis

COLLECTION HORIZON

editions**Harlequin**

Cet ouvrage a été publié en langue anglaise
sous le titre .
FAMILIAR ADVERSARIES

Traduction française de
CHRISTINE BOYER

HARLEQUIN®

est une marque déposée du Groupe Harlequin
et Horizon est une marque déposée d'Harlequin S A

1.

Shane Hunter quitta la route nationale et s'engagea sur le chemin de terre caillouteux.

Secoué sur son siège — la suspension de son vieux camion laissait à désirer —, il ralentit et serpenta entre les nids-de-poule qu'il distinguait tout juste dans la lumière de l'aube.

A la vue du grand panneau annonçant en lettres capitales la construction prochaine d'un lotissement de trente-cinq maisons individuelles, il esquissa un sourire de fierté. Tout en bas était écrit, en plus petit, « Hunter & Cie ».

Cela faisait deux ans qu'il avait monté sa propre entreprise, et à présent il s'attelait à ce grand chantier à la périphérie de Haven, Arizona. Cette réalisation, il l'espérait, consacrerait sa notoriété dans la région. Il avait investi toutes ses économies et s'était lourdement endetté pour mener à bien ces travaux. Si la chance et le ciel étaient avec lui et qu'il les terminait dans les temps, il en tirerait un confortable profit.

Tout aurait été parfait s'il n'avait pas été obligé de travailler pour Kurt Easton.

Personne à Haven n'ignorait que les Easton et les Hunter étaient à couteaux tirés depuis plus d'un demi-siècle. Comme il fallait s'y attendre, Easton ne cessait de lui mettre des bâtons dans les roues. Dès le début il avait tenté de l'écarter, et depuis que le site avait été vandalisé par deux fois, il ne ménageait pas ses efforts pour convaincre les autres investisseurs de l'exclure. A leur première visite, les voyous n'avaient pas commis de dégâts très importants, mais à la seconde, une partie du matériel avait été volé. Il avait aussitôt engagé des vigiles supplémentaires, mais cela n'avait pas suffi à calmer Easton. Ce dernier avait exigé la présence d'un directeur de projet, officiellement pour favoriser le bon déroulement des travaux, mais en réalité pour garder ainsi un œil sur lui.

Shane passa devant les deux premières maisons en construction. Plus bas étaient entreposés le bois de charpente et les tas de briques. Devant la cabane de chantier qui abritait son bureau, il fut surpris de voir les ouvriers en train de discuter, les bras ballants.

Il consulta sa montre. Il était plus de 7 heures. Que se passait-il ? Les hommes savaient ce qu'ils avaient à faire. Vendredi soir, il avait laissé ses instructions à leur chef. Qu'attendaient-ils pour les exécuter ?

Sans perdre de temps, il se gara, sauta à terre et se dirigea vers le contremaître, Rod Hendon.

— Rod, pourquoi vos gars ne sont-ils pas au travail ?

— Je n'y peux rien, Shane. Ce sont les ordres.

A ces mots, Shane serra les poings.

Le fameux directeur de projet devait être arrivé et commençait à lui créer des problèmes ! Mais ce n'était pas le moment de piquer une colère. Easton serait trop content de se servir de ce prétexte pour se passer de ses services.

— Où se trouve l'imbécile qui vous les a donnés ?

Rod désigna la cabane de chantier.

— A l'intérieur. Et je préfère vous prévenir, vous n'allez pas être content.

Shane n'en doutait pas, mais pendant le week-end, Nate, son frère, l'avait convaincu de la nécessité de garder la tête froide s'il voulait parvenir à ses fins. Puisque Easton l'imposait, il allait donc collaborer avec ce nouveau responsable des travaux.

Mais d'abord, il avait l'intention de clarifier la situation avec ce type, et le plus tôt serait le mieux.

— De quel droit empêchez-vous mes ouvriers de se mettre au travail ? tonna-t-il d'entrée, en ouvrant la porte.

En découvrant la femme assise dans son bureau au lieu de l'homme qu'il attendait, il s'interrompit et fronça les sourcils.

Mariah…

Elle était splendide avec sa chevelure auburn, sa peau claire et crémeuse, ses lèvres rouges, si sensuelles, et lorsqu'elle posa sur lui ses yeux verts, il eut envie de se pincer pour s'assurer qu'il ne rêvait pas.

— Bonjour, Shane, dit-elle de cette voix voilée qui l'avait si souvent hanté depuis douze ans. Voilà longtemps que nous ne nous étions pas vus.

Malgré les années, comment aurait-il pu oublier Mariah Easton ?

Quand elle se leva, il ne put s'empêcher de promener son regard sur son corps de reine que le jean moulait à la perfection. Sous son chemisier pointaient ses seins ronds et fermes, comme autrefois…

Bon sang, ce n'était pas le moment !

Avec effort, il revint au présent.

— Si tu cherches ton père, il n'est pas là.

Elle secoua la tête avant de rejeter ses cheveux en arrière.

— Je me suis entretenue avec lui ce matin. Il voulait venir, mais je lui ai dit que j'étais parfaitement capable de gérer seule la situation.

— Comment cela ?

— Je suis la directrice de projet.

Shane eut l'impression que le plafond lui dégringolait sur le crâne. Le pire venait de se produire.

— Bon sang, ce n'est pas vrai !

Il savait Easton prêt à tout pour lui mettre des bâtons dans les roues, mais il n'aurait jamais imaginé qu'il laisse sa fille adorée approcher un Hunter, et encore moins celui qui l'avait plaquée douze ans plus tôt.

Même si Mariah avait eu une semaine pour se préparer à ces retrouvailles, elle se sentait un peu nerveuse. Travaillant depuis toujours sur les chantiers, elle était habituée aux travailleurs du bâtiment, à leurs manières rudes et à leurs remarques hautes en couleur, mais celui-ci était capable de la faire rougir d'un simple regard.

Pourquoi avait-elle accepté de prendre ce poste ? Se retrouver en face de Shane Hunter était la dernière chose dont elle avait besoin. Il l'avait tant fait souffrir. Fallait-il qu'elle soit masochiste pour aller au devant d'ennuis supplémentaires !

Elle s'efforça de ne pas l'observer, mais il était difficile de résister à la tentation.

Très grand et carré d'épaules, il s'était encore musclé avec les années. Mais depuis toujours, c'était ses yeux bleus et son sourire qui la faisaient fondre.

Bon, il était temps qu'elle se ressaisisse et se focalise sur le travail.

Ouvrant un tiroir, elle sortit une feuille et la lui tendit.

— Si tu veux jeter un coup d'œil à ma formation et à mon expérience professionnelle… Je viens de terminer un grand programme de construction à Phoenix. Tu peux appeler mon père, il te confirmera mes compétences.

Pour recouvrer la maîtrise de son rythme cardiaque, elle prit une profonde inspiration.

— J'ai l'impression que nous allons devoir partager ce bureau, ajouta-t-elle.

Shane ne se donna même pas la peine de lire le feuillet.

— Easton est complètement fou. Nous avons déjà beaucoup de retard, nous accumulons les déboires.

Si tu interviens en plus pour superviser l'équipe, les choses vont aller de mal en pis. A ton avis, comment les hommes vont-ils réagir ?

A ces mots, une bouffée de colère s'empara de Mariah. Elle s'était bâti une solide réputation dans ce secteur d'activité. De quel droit Shane la remettait-il en cause ?

— Je ne suis pas ici pour prendre le commandement, mais pour faciliter le déroulement du chantier. Et dans le passé, j'ai pu vérifier que la réaction des ouvriers en présence d'une femme dans l'équipe dépendait de leur chef. Si tu es responsable, si tu reconnais ma place auprès d'eux, si tu leur montres que nous entretenons d'excellentes relations professionnelles et que tu me fais confiance, ils m'accepteront et tout se passera bien.

Shane ne paraissait pas convaincu.

— Tu es aussi la fille d'un des principaux investisseurs...

— Ecoute, Shane, je sais que toi et mon père avez toujours eu du mal à vous entendre, mais avec un peu de bonne volonté nous parviendrons certainement à collaborer. Il le faut.

— Un Hunter et une Easton travaillant ensemble ! On aura tout vu !

Mariah haussa les épaules. Bien entendu, elle

savait que son père avait depuis toujours une dent contre la famille de Shane. Mais n'était-il pas possible de mettre ces vieilles querelles sous le boisseau le temps des travaux ?

— Shane, si je n'avais pas accepté ce poste, ils auraient trouvé quelqu'un d'autre. Et si notre coopération se révèle impossible, toute la profession en conclura qu'il est difficile de s'associer avec l'entreprise Hunter. Tu as déjà été confronté à beaucoup de problèmes dernièrement, je crois. Il n'est pas souhaitable d'aggraver la situation.

Les yeux de Shane étincelèrent de colère.

— Des petits voyous ont réussi à s'introduire sur le chantier, à le vandaliser et à nous voler du matériel. Mais il n'y a pas eu tant de dégâts que ça.

— En tout cas, la prudence est de mise. Le site est isolé, ce qui le rend vulnérable.

— Et attractif aux yeux des futurs propriétaires. La vue imprenable nous permettra de vendre les maisons à un bon prix. Les gens se battront pour habiter ici. A condition que le lotissement soit terminé à la date prévue.

— Alors, remettons les hommes au travail. Présente-moi auprès du contremaître et confirme-lui mes fonctions.

Il croisa les bras sur son torse.

14

— Et justement, quelles sont-elles ? De quoi es-tu exactement chargée ?

— Ma mission consiste à m'organiser pour que le projet soit réalisé dans les temps et sans dépasser le budget initial. La plupart de mes tâches seront effectuées depuis ce bureau : gérer les relations avec les fournisseurs, commander le matériel, s'assurer que les commandes sont livrées en temps et en heure, vérifier les factures et établir les feuilles de paie.

— Tu viens de décrire *mon* métier.

— C'est vrai. Je suis là en renfort. Vu l'importance du chantier, il aurait mieux fallu embaucher un directeur dès le début.

— J'aime travailler seul.

Mariah soupira intérieurement.

Malgré les années, Shane Hunter n'avait pas changé, songea-t-elle. Il n'avait besoin de personne, et surtout pas d'elle. Le fait que les Easton soient à couteaux tirés avec les Hunter n'arrangeait rien. Elle savait que son père espérait que l'entreprise Hunter échouerait.

— Je suis donc au regret de t'apprendre, Shane, que je suis ici et que j'ai bien l'intention d'y rester. A présent, nous avons perdu assez de temps. Tu me présentes à tes hommes ?

Comme il ne bougeait pas, elle lui lança.

15

— Moins ils travaillent, plus tu perds de l'argent. Et c'est toi qui devras expliquer les retards aux investisseurs.

— Ce que tu es têtue ! Tu as intérêt à être performante !

Mariah réprima un sourire.

— Je le suis.

— Nous verrons, grommela son interlocuteur.

Il ouvrit la porte et l'invita à le précéder à l'extérieur. C'est alors qu'elle surprit l'éclair de désir dans ses prunelles.

Quand elle sortit, elle sentit le regard de tous les hommes sur elle.

Shane prit la parole.

— Ecoutez-moi, tous. Certains changements ont été décidés, et mieux vaut vous mettre au courant avant de commencer la journée. Je vous présente Mariah Easton, la directrice de projet.

A ces mots, un murmure réprobateur parcourut le groupe.

— Je reste responsable de l'équipe, poursuivit Shane. Mais Mariah s'occupera des tâches administratives, des commandes, des livraisons, des horaires. Je compte sur vous pour coopérer avec elle et pour surveiller vos manières. Quelque chose à ajouter, Mariah ?

16

Elle avait beaucoup à dire, mais elle ne voulait pas contredire Shane devant les hommes.

— Non, pas pour l'instant. Bonjour à tous.

Elle retourna dans la cabane de chantier, priant Dieu de lui donner la force d'assumer sa tâche. Pour la centième fois, pourquoi avait-elle accepté dè travailler sur ce lotissement et… avec Shane Hunter ? Au lycée, il l'avait plaquée sans explication. Elle en avait eu le cœur brisé et il lui avait fallu des années pour s'en remettre. A présent, elle se savait en première ligne au sein du vieux conflit entre leurs deux familles et doublement vulnérable.

Mais dans l'immédiat, il lui fallait un bureau à elle. Il n'était pas question qu'elle partage celui de Shane. Tout en composant un numéro, elle regarda les papiers qui jonchaient la table, les étagères remplies de cartons non marqués. Comment parvenait-il à retrouver quoi que ce soit dans ce capharnaüm ?

Dans le coin, elle aurait la place d'installer une petite table, et comme ils seraient à l'opposé l'un de l'autre, peut-être ne se verraient-ils même pas.

— Déjà au téléphone en train de se plaindre auprès de papa ? lança la voix railleuse de Shane.

— Shane, ne commence pas. Je n'ai pas besoin de son aide.

— Non, bien sûr. C'est lui qui compte sur toi pour espionner le grand méchant Hunter.

Mariah préféra ignorer sa réflexion et salua la personne au bout du fil.

— Oui, j'ai pris le poste, mais il me faudrait un bureau.

Elle promena les yeux sur les canettes vides de bière, les boîtes de pizzas entassées par terre et grimaça.

— Et aussi une équipe de nettoyage, ajouta-t-elle. Cet endroit est une vraie porcherie.

Après avoir raccroché, elle se tourna vers Shane.

— Comme tu le vois, je n'ai aucun problème pour obtenir ce que je veux. Je te préviens, je ne suis plus la jeune fille mal dans sa peau que tu as connue.

Ce qui était un gros mensonge.

— Dans le bâtiment, j'ai travaillé avec des gars qui avaient la réputation de ne faire qu'une bouchée des directrices de projet. J'y ai survécu et j'ai accompli mes fonctions du mieux possible. A présent, à toi de choisir : nous pouvons collaborer ou nous tirer dans les pattes. Je préférerais que nous formions une équipe, cela facilitera ma tâche et la tienne. Et s'il s'avère que nous nous entendons bien, c'est mon père qui sera furieux, ajouta-t-elle en souriant.

Vers midi, Shane hésita sur la meilleure façon d'utiliser l'heure du déjeuner. Il avait besoin de reprendre ses esprits, aussi décida-t-il de s'accorder une petite pause en ville.

Comme il entrait au Café des Amis, il trouva son frère Nate installé au comptoir.

Ce dernier lui sourit.

— Salut, frérot, qu'est-ce qui t'amène ici un jour de semaine ?

Avec un soupir, Shane s'assit près de lui.

— La cabane de chantier est en plein nettoyage.

Les yeux de Nate s'écarquillèrent de stupeur.

— Répète ça.

— Décision de la nouvelle directrice de projet. Elle trouve que nos bureaux ressemblent à une porcherie.

— Elle ? C'est une femme ?

Comme Shane hochait la tête, son aîné éclata de rire.

— Eh bien, mon vieux, je te plains !

— Et ce n'est pas le pire ! Il s'agit de Mariah Easton.

Nate fit mine de s'étrangler.

— La petite rouquine pour qui tu avais le béguin au lycée ? La fille de Kurt Easton ?

Shane hocha la tête.

— Seigneur ! Est-elle toujours aussi jolie ?

— Je n'ai pas fait attention.

A ces mots, Nate s'empara de son poignet.

— Laisse-moi prendre ton pouls. Pour que tu ne prêtes pas attention à une fille, il faut que tu sois mort.

— Arrête ! Comme si j'avais eu le temps de la regarder.

— Tu veux me faire croire que tu n'as pas remarqué ses grands yeux verts, ses jambes, ses...

Shane refusa d'en entendre davantage.

— Eh, n'as-tu pas épousé une splendide blonde il y a six mois ? Une dénommée Tori, si ma mémoire est bonne. Laquelle, sauf erreur de ma part, va bientôt te donner un fils...

— Et j'adore ma petite femme, assura Nate en souriant. Mais je me souviens que tu étais fou de cette Mariah autrefois.

— N'exagérons pas. De plus, c'était il y a des années, rétorqua Shane, tentant de ne pas se rappeler l'époque où il avait été obligé de rompre

20

avec elle. A présent, elle est d'abord une source de problèmes…

— Pourquoi ? As-tu peur qu'elle essaie de te faire du tort ? De saper ton travail ?

Shane haussa les épaules.

— Cela ne m'étonnerait pas plus que ça. C'est la fille de Kurt Easton, hein ?

2.

— J'ai besoin de ces poutres pour midi, monsieur Grant, répéta Mariah au téléphone.

C'était sa deuxième journée de travail, il n'était pas 9 heures, et elle était déjà aux prises avec une dizaine de problèmes.

— Impossible, madame. Mon livreur ne sera pas là avant ce soir.

En silence, pour ne pas lui laisser deviner sa frustration, Mariah poussa un soupir.

— Il n'est pas question que les hommes restent toute la journée les bras ballants ! Nous avons déjà du retard et…

— Je sais et j'en suis désolé, mais je ne fais pas ce que je veux. Patientez, Jess viendra dès que possible.

— Je n'ai pas de temps à perdre, monsieur Grant. Et mes ouvriers encore moins. Si vous ne tenez pas vos engagements, je me verrai contrainte de me passer de vos services.

— Vous n'avez pas le droit de faire ça ! Nous avons signé un contrat.

— Vous le rompez en ne respectant pas vos délais. D'ailleurs, voilà deux jours que vous auriez dû nous apporter cette marchandise. Je vais donc être obligée de m'adresser à une autre société.

— Passez-moi Shane, s'il vous plaît. J'aimerais lui parler.

Mariah avait l'habitude des fournisseurs qui préféraient discuter entre hommes.

— Navrée, mais il est occupé. Monsieur Grant, si vous souhaitez continuer à travailler avec nous, il vous faut désormais traiter avec moi, Mariah Easton. Je suis la directrice du projet. Et vous avez jusqu'à midi pour nous livrer le bois de charpente.

— Mais comment pourrais-je le faire ? Je n'ai pas de chauffeur !

— Alors chargez-le vous-même sur votre dos et apportez-le ! cria-t-elle avant de raccrocher brutalement.

Que lui arrivait-il ? Elle ne s'était jamais comportée ainsi.

Avec un profond soupir, elle ferma les yeux. Quand elle les rouvrit, elle vit Shane à la porte.

— Que diable se passe-t-il ici ?

Dans son jean et ses bottes de caoutchouc, il était beau comme un dieu. Les marques de sueur qui assombrissaient son T-shirt le rendaient plus séduisant encore.

— Je t'ai demandé ce qui se passait, répéta-t-il.

— Peut-être pourrais-tu déjà m'expliquer pourquoi le bois qui aurait dû être livré il y a deux jours n'est toujours pas là ? attaqua-t-elle.

— Je vais appeler Grant. Je sais qu'il a des soucis avec son livreur.

Il s'approcha du téléphone, mais elle l'empêcha de se saisir du combiné.

— Je viens de m'entretenir avec lui. Je lui ai indiqué que si ces poutres n'étaient pas ici à midi, je considérerais que le contrat qui nous unit à lui est rompu et m'adresserais à quelqu'un d'autre.

A ces mots, Shane fit la grimace.

Mariah avait donc commencé à s'occuper de tout.

La veille, elle avait demandé un bureau et une équipe de nettoyage, et l'un et l'autre étaient arrivés dans les deux heures. Aujourd'hui, lorsqu'il était arrivé à 5 heures du matin, il avait été surpris d'être accueilli dans la cabane de chantier par une bonne

24

odeur de café et par… Mariah. Elle avait natté ses beaux cheveux auburn, ce qui mettait en valeur son charmant visage et ses yeux de chatte. Vêtue d'un pantalon kaki et d'un chemisier bordeaux, elle lui avait paru infiniment féminine, même en bottes de travail. Troublé, il avait préféré ressortir aussi rapidement que possible pour aller travailler avec le reste de l'équipe.

A présent, il tentait de se maîtriser.

— De tous les menuisiers de la région, Jerry Grant offre le meilleur rapport qualité/prix. Il est également le seul producteur local. Je sais que son retard nous pose un problème, mais ce n'est pas très grave. Les ouvriers s'attelleront à autre chose en attendant.

— Ce n'est pas une façon de travailler.

Manifestement, elle ne voulait pas entendre raison.

— Nous ne sommes pas à Phoenix, Mariah, insista-t-il. Haven est une petite ville. Ce projet est censé apporter du travail et des revenus aux gens du coin. Si nous nous fournissons auprès des entreprises de Tucson, ce ne sera pas le cas.

— Si les hommes se retrouvent en chômage technique, nous courons à la catastrophe. Je ne peux pas l'accepter.

— Tu ne peux pas ou tu ne *veux* pas ?

Il planta ses yeux dans les siens mais se rendit compte très vite qu'il ne l'intimidait plus comme autrefois.

— Comme je te l'ai dit, Grant a jusqu'à midi pour respecter ses engagements, décréta-t-elle en soutenant son regard.

Shane serra les poings, furieux. Comment Mariah Easton avait-elle le toupet de se mêler de son organisation ? Elle n'avait plus rien de commun avec la jeune fille qu'il avait connue au lycée. A l'époque, elle osait à peine lui adresser la parole et se contentait de lui sourire en rougissant. Après des mois à observer son manège, il avait fini par l'aborder. Il se remémorait encore leur premier baiser, la timidité avec laquelle elle le lui avait rendu… Etait-ce bien la femme qu'il avait en face de lui ?

— Fais donc preuve d'un peu de souplesse !

— Désolée, Shane, il s'agit d'une grosse affaire. Pas de bricolage.

— Je retourne sur le chantier. En cas de besoin, tu peux me joindre sur mon portable.

Et il sortit en claquant la porte.

Bon sang, songea-t-il, les mâchoires serrées, il

était mal parti. Elle le rendait fou. Il ne savait pas s'il avait plus envie de la secouer ou de l'embrasser.

Deux heures plus tard, Mariah ne parvenait toujours pas à se concentrer sur son travail.

Les mots de Shane tournaient dans sa tête. Peut-être avait-il raison, peut-être aurait-elle dû se montrer plus conciliante avec Jerry Grant ? Mais Shane ne comprenait pas qu'étant femme, elle ne pouvait pas se permettre de faiblesse. Si elle n'obtenait pas la considération et la coopération des fournisseurs, elle ne serait jamais respectée par les ouvriers.

La porte s'ouvrit et son père apparut, son téléphone portable collé à l'oreille. Il la salua d'un hochement de tête tout en continuant sa conversation.

Mariah en avait l'habitude.

A cinquante-cinq ans, Kurt Easton, conseiller municipal et homme d'affaires influent, restait obsédé par la réussite. Né dans un milieu très modeste, il avait toujours accusé les Hunter d'être responsables de la pauvreté de sa famille. Son jeune frère Rich et elle avaient grandi auprès d'un homme au cœur rempli de ressentiment.

Son père finit par raccrocher et se tourna vers elle.

— Où diable est passé Hunter ?

— Il est avec les ouvriers.

— Je t'ai engagée pour garder un œil sur lui.

— Je pensais que tu m'avais embauchée parce que je fais du bon travail.

— Oui, mais je veux aussi que tu le surveilles. On ne peut pas lui faire confiance. Le site a déjà été dévalisé deux fois.

Le visage dur, elle planta ses yeux dans ceux de son père, si semblables aux siens, espérant que c'était tout ce dont elle avait hérité de lui.

— Et peux-tu m'expliquer en quoi ruiner son propre chantier servirait les intérêts de son entreprise ?

Easton haussa les épaules.

— C'est un Hunter.

— Je t'ai dit en acceptant ce poste que je refusais de rentrer dans ces vieilles querelles. Elles appartiennent au passé et n'ont rien à voir avec Shane, sa mère, son frère ou sa sœur.

— Nathan Hunter a chassé ton grand-père James de ses terres et lui a volé l'amour de sa vie !

Mariah avait entendu l'histoire des centaines de fois. Un demi-siècle plus tôt, James Easton avait courtisé Catherine Summers. Avant de partir se battre en Europe pendant la seconde guerre mondiale, il avait demandé à son ami, Nathan, de veiller sur

28

la jeune fille. Au lieu de quoi, ces deux derniers étaient tombés amoureux l'un de l'autre…

— Si tu continues à me harceler avec cette histoire, papa, je serai obligée de te donner ma démission.

A ces mots, son père s'adoucit.

— D'accord. Assure-toi seulement que tout se déroule bien. J'ai investi énormément d'argent dans ce projet.

C'est alors qu'elle entendit un bruit de moteur.

— Excuse-moi un instant, papa.

Elle ouvrit à la porte et vit arriver un gros camion chargé de poutres.

Ainsi, ses menaces avaient été prises au sérieux ! se dit-elle, toute contente.

Mais sa joie s'envola lorsque le véhicule s'arrêta et qu'elle découvrit Shane au volant.

Il sauta sur le sol.

— Tu voulais que le bois soit livré avant midi. Il est midi moins cinq.

Avec un sourire ironique, il lui tendit un reçu.

— A présent, je vais déjeuner.

Vingt minutes plus tard, Shane ouvrait la porte du petit appartement qu'il s'était aménagé au rez-de-chaussée de la maison de sa mère. Heureusement qu'il n'avait pas très faim, car il n'y avait rien à manger chez lui. Il n'avait pas eu le temps de faire des courses. Comme il passait l'essentiel de ses journées sur le chantier, il n'avait en fait le temps de rien.

Comme il avait investi tout son argent dans son entreprise, louer un logement n'était pas sa priorité. Six mois plus tôt, quand son frère Nate, après son mariage, s'était installé dans le ranch familial, il avait préféré aménager ce petit deux pièces pour économiser des frais inutiles.

La pièce principale était équipée d'une cuisine intégrée, d'un canapé et d'une petite chaîne stéréo. Au centre trônait son seul luxe : un écran géant de télévision. Une planche posée sur deux tréteaux servait de table. Une salle d'eau côtoyait la chambre, où son lit n'avait pas été fait depuis des semaines…

Il repensa avec humeur à Mariah.

Elle n'était pas arrivée depuis deux jours, et déjà elle lui créait des problèmes. Comment comptait-elle lui faciliter la tâche s'ils étaient incapables de s'entendre ? Pourquoi ne lui avait-elle pas demandé conseil au sujet de la livraison du bois de charpente ? En tout cas, il lui avait montré qui était le maître.

Ignorant le nœud à son estomac, il inspecta le frigo. A l'intérieur ne se trouvaient qu'un pack de bières et une bouteille de lait périmée. Avec un soupir, il la vida dans l'évier et la jeta. Par chance, il découvrit ensuite au fond du placard une boîte de sardines.

Il l'ouvrit et plongea directement les doigts dedans.

C'est alors que l'on frappa à la porte.

— Ne me dis pas que c'est ton déjeuner ! s'exclama sa mère en entrant, un panier de linge propre sous le bras.

— Bonjour, maman, répondit-il en la débarrassant de son chargement. Que reproches-tu à mon repas ?

Elle posa sur lui un regard perçant.

— Viens avec moi te faire un sandwich là-haut. Tu travailles trop dur pour te nourrir d'une boîte de sardines.

— Maman, je te remercie de repasser mes vêtements, mais laisse-moi décider seul de mes menus.

— Et puis quoi encore ? Je n'ai rien repassé. Je me suis contentée de sortir ton linge du séchoir pour pouvoir l'utiliser.

Sa mère essayait de paraître sévère, mais il

savait qu'en réalité elle se faisait du souci pour ses enfants. Maintenant que l'aîné était marié et que sa sœur Emily s'était installée à Los Angeles, elle concentrait son attention sur lui.

— Désolé, cela ne se reproduira plus, lui dit-il.

— Tu me l'avais déjà promis la dernière fois.

Avec un soupir, elle promena les yeux autour d'elle.

— A présent que tu as une directrice de projet, tu devrais songer un peu à ta vie privée. A ce sujet, comment va Mariah Easton ?

— Je n'y crois pas ! Nate t'a mise au courant !

— Il ne m'a rien dit, mais les nouvelles vont vite dans les petites villes. Réponds-moi : comment va-t-elle ? Je la revois à la sortie du lycée. Elle était si charmante !

— Maman, tu parles de la fille de Kurt Easton ! Il l'a embauchée dans le seul but de m'espionner. Il est prêt à tout pour m'éjecter du chantier.

— Si ma mémoire est bonne, tu ne la laissais pas indifférente, autrefois, et tu étais fou d'elle.

— Cette histoire remonte à très loin, répliqua-t-il très vite. Et nous n'aurions jamais dû sortir ensemble, d'ailleurs. C'était stupide.

— C'était une époque pénible, surtout pour

Emily et toi. Vous étiez trop jeunes pour vivre une telle tragédie.

Quand Ed Hunter avait brutalement succombé à une crise cardiaque, leur existence avait été complètement bouleversée. Ils avaient tout perdu, y compris le ranch familial. Sa mère était devenue enseignante et Nate était entré dans la police pour rembourser leurs dettes.

Shane se souvenait encore des murmures sur son passage. Il n'avait voulu la pitié de personne, et surtout pas de celle de sa petite amie.

Sa mère lui sourit.

— Nous avons connu des années difficiles, dit-elle, mais nous avons surmonté nos épreuves.

— J'aimerais le croire, bougonna-t-il. Mais avec ce Kurt Easton qui ne cesse de me répéter que je ne vaux rien, je finis par en douter.

— Laisse-le dire ! Regarde ce que Nate et toi avez accompli ! Ton frère a racheté le ranch et a réussi à se faire un nom à la seule force de ses poignets. Quant à toi, tu as monté ta propre entreprise et tu t'es vu attribuer un important chantier. Je suis fier de toi, mon fils.

— Les critiques permanentes des Easton me pèsent.

— Mais comme Mariah est belle avec ses grands yeux de biche…

Il planta sur sa génitrice un regard menaçant.

— Maman…

— D'accord, j'arrête là. Mais seulement si tu cesses de t'inquiéter de Kurt Easton. Ses associés ont fait appel à toi parce que tu es le meilleur. Il est clair qu'il a une dent contre tous les Hunter, mais ça n'a rien à voir avec toi.

— Rien ? Il ne perd jamais une occasion de me créer des ennuis. Qu'a fait exactement grand-père, selon toi, pour provoquer chez lui une telle haine ?

Shane avait entendu tant de versions de l'histoire qu'il ne savait plus laquelle était la vraie.

— Cette affaire remonte à très longtemps, et toutes les personnes en cause sont mortes à présent. Malheureusement, Kurt refuse de tourner la page et sa colère est toujours aussi vivace.

— Est-il vrai que grand-père a chassé les Easton de leurs terres ?

— Non ! Nathan Hunter était un honnête homme. Sa seule faute est d'être tombé amoureux de Catherine Summers. James Easton et Nathan Hunter étaient, depuis leur plus tendre enfance, de très bons amis, proches comme des frères.

Quand James est parti à la guerre, il a demandé à Nathan de veiller sur son amoureuse. James s'est battu en Europe pendant plus de deux ans. En son absence, Nathan et Catherine ont passé beaucoup de temps ensemble. Et ce qui devait arriver s'est produit. A son retour, James, fou de colère, a rappelé à Catherine qu'elle lui avait promis de l'épouser, mais elle a toujours nié s'être fiancée avec lui. Quoi qu'il en soit, de terribles paroles ont été échangées et ont marqué la fin de l'amitié entre les deux hommes. Jusqu'à sa mort, James Easton en a voulu à ton grand-père. Par la suite, les choses auraient pu se tasser, mais Kurt a tenu à faire perdurer cette vieille querelle.

— Et il ne me lâchera pas avant de m'avoir anéanti.

— Ne le laisse pas faire. Il a également donné du fil à retordre à Nathan, mais pour la plupart des habitants de la ville ce conflit est de l'histoire ancienne.

Avec un soupir, Betty ajouta.

— Je suis surtout navrée pour sa fille. Kurt l'a mise dans une position difficile.

Shane repensa à ce qui s'était passé dans la matinée, au refus de Mariah de céder au charpentier.

— Ne t'inquiète pas pour elle, ricana-t-il, elle sait se défendre.

Curieusement, sa mère sourit.

— Tant mieux, dit-elle en se dirigeant vers la porte.

— Eh, de quel côté es-tu ?

— Du tien. Mais dès qu'il s'agit de femmes, tu es incapable de prendre les bonnes décisions. Il est temps que quelqu'un te montre la direction à suivre.

Le lendemain matin, Mariah arriva sur le chantier en proie à une épouvantable migraine. Elle avala deux cachets d'aspirine avec un peu de café en espérant que Shane ne se montrerait pas avant une bonne heure.

Comme elle s'installait à son bureau, la porte s'ouvrit et ce dernier entra.

Vêtu de ses vêtements de travail, il paraissait fringuant en ce début de matinée.

— Bonjour, murmura-t-il.

— Bonjour.

Il consulta le courrier.

— Je n'ai rien reçu d'autre ?

— Non, à part les factures dont je m'occupe.

— Pourquoi ? Ne crois-tu pas que j'ai besoin de me rendre compte de l'argent qui sort ?

A contrecœur, elle dut reconnaître qu'il avait raison.

— C'est vrai, mais dans les autres sociétés où j'ai travaillé, je m'en suis toujours chargée.

— Règle-les et classe-les, mais je tiens à y jeter d'abord un coup d'œil pour être certain qu'elles correspondent bien à ce que j'ai commandé.

— C'est mon travail de le vérifier.

Il lui lança un regard froid.

— Je veux être tenu au courant de tout ce qui concerne ce chantier, rétorqua-t-il. Compris ?

— Pourquoi ? Tu n'as pas confiance en moi ?

— Pourquoi devrais-je te faire confiance ? Ton père ne voulait pas de moi ici. Il a perdu une bataille, alors il t'a envoyée ici avec une idée derrière la tête, j'en suis sûr.

Mariah serra les lèvres. Elle refusait de lui donner la satisfaction de voir qu'il l'avait blessée.

— Tu savais qu'il y aurait un directeur de projet. Et j'ai toutes les qualifications nécessaires.

Shane croisa les bras sur son torse.

— Le fait que tu sois la fille de Easton n'est pas innocent. Et j'ai tout lieu de me demander si tu n'es pas sa complice. Si tu ne désires pas, toi aussi, me détruire.

— Comment oses-tu m'accuser de chercher à saboter ce chantier ? Je ne ferais jamais ça !

— Pas même pour ton père ?

Blême de colère, Mariah s'avança vers Shane. Il était bien plus grand et plus fort qu'elle, mais il ne l'intimidait pas. Elle avait remis à leur place bon nombre d'hommes plus coriaces.

— Laisse-moi te dire quelque chose, Shane Hunter. Personne n'a jamais mis ma réputation professionnelle ni mon intégrité en doute, et je ne suis pas décidée à accepter que tu le fasses.

A la vue de la douleur qui crispait le visage de la jeune femme, Shane se sentit minable.

Il se souvint à quel point il avait fait souffrir Mariah autrefois. A l'époque elle ne l'avait pas mérité, et elle ne le méritait pas davantage aujourd'hui. Elle n'avait rien fait d'autre que son travail. Il était simplement furieux qu'elle soit là.

— D'accord, d'accord, j'ai peut-être dépassé les bornes. Mais crois-moi, depuis le début, ton père fait tout pour me descendre. Tu peux comprendre mes soupçons.

— Je les comprends peut-être, mais je ne les

apprécie pas, riposta-t-elle, les poings sur les hanches. Et il nous faut d'urgence trouver le moyen de travailler ensemble, parce que je n'ai pas d'énergie à perdre à lutter contre toi dès le matin chaque jour de la semaine.

— Bon, alors commençons par nous calmer.

Elle détourna la tête, mais Shane intercepta son sourire.

— Avant toute chose, il faut nous faire mutuellement confiance et nous respecter.

Il n'était pas certain d'en être capable. Etait-ce parce qu'ils avaient un passé commun ? Ou parce qu'elle était la fille d'Easton ? Ou parce qu'il se rendait compte qu'il était encore attiré par elle ? Sans doute était-ce un peu des trois.

— Cela prendra du temps.

— Malheureusement, nous n'en avons pas. Nous sommes déjà en retard de deux semaines sur les prévisions. Il n'est pas question de ne pas respecter les délais et…

A ce moment-là, le contremaître entra, l'air soucieux, et ils se tournèrent vers lui.

— Qu'y a-t-il, Rod ?

— Je viens de m'apercevoir que le chantier a de nouveau été vandalisé cette nuit.

— Bon sang ! Ce n'est pas possible !

Sans perdre un instant, Shane colla son chapeau sur sa tête et suivit Rod à l'extérieur, Mariah sur les talons. Ils traversèrent le chantier jusqu'à l'endroit où étaient stockés le bois, les briques et les taules.

Des graffitis — des injures d'une inimaginable grossièreté — avaient été peints sur des planches de contreplaqué, des briques étaient cassées par dizaines et des caisses de clous avaient été renversées sur le sol.

— A-t-on volé quelque chose ? s'enquit Shane.

— Au premier abord, non, répondit Rod. Mais nous n'avons pas encore dressé l'inventaire.

— Je vais m'en occuper, intervint Mariah. Quant à vous, allez dire aux hommes de commencer à travailler. Prendre du retard n'arrangera rien.

Avec un hochement de tête, Rod s'en alla.

La suggestion de Mariah surprit Shane.

— Je ne vais pas te laisser nettoyer seule tout ce bazar.

— Pourquoi ? M'en crois-tu incapable ? Je n'ai pas peur de me salir les mains. Mais j'apprécierais que tu m'envoies Jason et Mike en renfort. Ensuite, nous devrons aborder la question de la sécurité.

40

Les patrouilles volantes ne sont manifestement pas suffisantes.

— Je suis d'accord avec toi sur ce point.

Elle écarquilla les yeux.

— Eh bien, c'est un début ! Nous sommes finalement tombés d'accord sur quelque chose.

Vers minuit, Shane ne parvenait toujours pas à dormir. Quoi qu'il fasse, ses pensées revenaient sans cesse à Mariah. Elle le hantait. Il revoyait ses grands yeux verts, ses lèvres sensuelles. C'était une jolie fille au lycée, mais à présent elle était belle à tomber à la renverse.

Mais il serait suicidaire de recommencer à sortir avec elle. Il avait trop de travail et devait rester focalisé sur ses objectifs. S'il voulait que son entreprise marche, il lui fallait rembourser l'argent que son frère lui avait prêté deux ans plus tôt.

Pourtant, il ne pouvait s'empêcher de se remémorer la manière dont elle avait tout nettoyé sans se plaindre et établi l'inventaire en un temps record.

Après en avoir discuté, ils étaient tombés d'accord sur le fait que le ou les personnes qui avaient vandalisé le site n'étaient pas des professionnels. Cela ressemblait davantage à l'œuvre d'adolescents ou de quelqu'un qui voudrait créer des soucis à la société. Il avait d'abord pensé que Kurt Easton était derrière l'incident, mais il ne parvenait pas à imaginer le conseiller municipal de la ville risquant sa réputation avec une affaire aussi louche, ni surtout s'entourant d'amateurs pour arriver à ses fins.

Finalement, il décida de retourner sur le chantier. De toute manière, il n'en pouvait plus de rester allongé sur son lit sans parvenir à trouver le sommeil. Alors, autant se rendre utile. Jusqu'à ce que la nouvelle équipe de vigiles soit en place, il allait s'assurer par lui-même que tout était calme sur le site.

Il éteignit le moteur et les phares bien avant d'atteindre le lotissement. Si quelqu'un traînait là sans en avoir le droit, il voulait le surprendre. Comme il se garait discrètement, il remarqua de loin de la lumière dans la cabane de chantier.

Quelqu'un se trouvait à l'intérieur !

Sans faire de bruit, il se faufila jusqu'à la porte, l'ouvrit et aperçut une ombre près du bureau. D'un bond, il sauta sur l'intrus et le plaqua contre le mur.

Il ne lui fallut pas longtemps pour se rendre compte qu'il pressait un corps doux doté de seins.

— Lâche-moi, lui jeta Mariah d'une voix sèche.

Une bouffée de désir s'empara de Shane, et il lutta pour se maîtriser.

— Alors, dit-il entre ses dents, tu ferais mieux de m'expliquer ce que tu fais là à cette heure.

3.

Avec Shane plaqué contre elle, Mariah ne parvenait plus à respirer. Son visage était si près du sien qu'elle sentait son souffle caresser sa joue. Grisée, elle huma son odeur virile, mélange de savon et de… Shane. Et soudain les souvenirs affluèrent à sa mémoire. Elle se rappela l'époque où ils échangeaient des baisers passionnés, l'époque où la moindre caresse de Shane la propulsait au septième ciel.

Refoulant ces étranges pensées, elle se débattit.

— Lâche-moi ! répéta-t-elle.

De toutes ses forces, elle tenta de le repousser, mais il ne bougea pas d'un pouce.

— Que fais-tu sur le chantier à cette heure-ci ?

— Je travaille !

Il finit par la libérer.

— A minuit passé ?

— Je suis revenue classer des dossiers. Tu as négligé tant de documents administratifs importants que je me demande par quel miracle les hommes ont été payés jusqu'ici.

— J'ai chargé une société de s'occuper des feuilles de salaire.

— Mais qui vérifie les plannings de présence ? Voilà des heures que je tente de retrouver les papiers. Je ne me rendais pas compte qu'il était si tard.

Et elle n'avait pas eu envie de rentrer chez elle pour entendre son père déblatérer sur Shane.

— Tu n'as rien à faire ici au milieu de la nuit.

— Toi non plus, rétorqua-t-elle.

Avec un soupir, Shane passa la main sur son visage.

— D'accord, d'accord. Pourrions-nous essayer de discuter cinq minutes sans nous disputer ?

Elle haussa les épaules.

— J'en doute. Et toi ?

Comme s'il cherchait à se calmer, il se mit à arpenter la cabane de chantier de long en large. Finalement, il la regarda.

— Mariah, nous devons trouver le moyen de travailler ensemble. Cela n'a peut-être pas d'importance pour toi, mais si les travaux ne sont pas terminés dans les temps, je peux dire adieu à mon entreprise.

Le peu de confiance qu'il lui témoignait la blessait cruellement.

— Pourquoi crois-tu toujours que je cherche à te nuire ? rétorqua-t-elle. Pour moi aussi, l'enjeu est important ! J'ai une réputation à défendre. Alors cesse de m'agresser à toute occasion.

— Je m'y efforce. Mais quand je suis arrivé ici et que je t'ai vue, je… Mariah, notre histoire remonte à des années, mais ce qui s'est passé entre nous…

Il tenta de lui caresser la joue, mais elle l'écarta avec violence.

— Nous n'avons visiblement pas les mêmes souvenirs. Je ne me rappelle que notre rupture !

A l'époque, Shane venait de perdre son père et traversait une période difficile. Elle aurait tout donné pour être près de lui, pour le soutenir, mais il n'avait pas voulu de son aide. Lorsqu'il lui avait annoncé sa décision de rompre, elle avait cru en mourir de chagrin. D'autant qu'ensuite, il n'avait cessé de draguer toutes les filles du voisinage.

— Je me suis comporté comme un imbécile et un égoïste, reconnut-il. J'étais un adolescent mal dans sa peau. De toute façon, tes parents t'interdisaient de me fréquenter.

Elle haussa les épaules.

— Cela ne nous a jamais arrêtés. Nous nous

débrouillions toujours pour nous retrouver. Et si tu me l'avais demandé, je me serais enfuie de chez eux.

— Tu as souvent pris des risques inconsidérés, d'ailleurs.

A présent, elle ne pouvait plus endiguer le flot de souvenirs qui remontait à sa mémoire. Elle se revoyait se garant derrière l'étable du ranch Hunter tandis que Shane se précipitait à sa rencontre. Elle était à peine sortie de la voiture qu'il l'embrassait déjà comme un fou.

A la manière dont Shane la dévisageait, elle comprit qu'il s'en souvenait aussi.

— Tu ne m'as jamais priée de cesser, répliqua-t-elle d'un ton accusateur.

Il se rapprocha.

— Comment l'aurais-je pu ? Tu étais belle à damner un saint. J'étais fou de toi.

Le cœur de Mariah se mit à battre à grands coups dans sa poitrine.

Entendre cet aveu de la bouche de Shane, sentir sa présence si proche, la troublait infiniment. Elle s'en voulait d'être aussi faible mais n'avait pas la force de s'écarter.

Lorsqu'il la prit dans ses bras et se pencha vers elle pour s'emparer de ses lèvres, une vague de désir la souleva. Elle noua les bras autour de son cou et lui rendit son baiser. Les sentiments qu'elle avait étouffés toutes ces années la submergeaient. Combien de fois avait-elle rêvé de ces retrouvailles ? Mais elle n'aurait jamais imaginé une telle intensité.

Mais, trop tôt, tout s'arrêta : avec douceur, Shane la lâcha et détourna la tête.

Le cœur brisé, Mariah eut l'impression qu'il la rejetait, comme autrefois. Une fois encore, elle avait laissé Shane Hunter lui faire mal…

Il planta ses yeux dans les siens.

— Ce baiser était une erreur, Mariah. Nous n'avons vraiment pas besoin de complications supplémentaires.

— C'est vrai. Nous avons eu tort de nous rappeler le passé.

— Comment allons-nous réussir à travailler ensemble, à présent ?

— Si tu espères me voir donner ma démission, n'y compte pas. Je ne renonce pas si facilement.

— Alors nous ferions mieux d'adopter une autre ligne de conduite, décréta Shane.

Mariah se rembrunit. Le sentir si calme, si maître de lui après ce qui venait de se passer l'humiliait profondément.

— Déjà, évitons à l'avenir de nous toucher.

Cantonnons désormais nos relations à un cadre strictement professionnel.

— Je crois également préférable que tu ne restes pas sur le site la nuit.

— Et tu me préviendras quand un fournisseur aura un problème pour nous livrer la marchandise. Je ne suis pas un tyran, et il est important pour moi aussi de travailler de préférence avec les entreprises du coin.

— Et que dirais-tu de cesser de raconter à ton père tout ce qui se passe sur le chantier ? S'il en a la possibilité, il n'hésitera pas à se servir de tes comptes rendus pour m'attaquer.

Elle secoua la tête.

— Je ne parle de notre travail à personne. Même si je vis chez mes parents, temporairement du moins.

Shane leva un sourcil.

— Tu cherches un appartement ?

Elle n'allait pas lui confier les problèmes qu'elle avait avec son père.

— Je suis indépendante depuis le lycée, et ce n'est pas très agréable pour moi de réintégrer la maison familiale. J'aimerais trouver un petit logement dans le coin pour la durée des travaux.

— Si tu n'es pas trop difficile, je connais un studio à louer.

— En effet, ça m'intéresserait.

— Alors retrouvons-nous demain matin au Café des Amis pour le petit déjeuner.

— Je n'ai pas le temps. Le matin, j'avale un café sur le pouce avant de partir au travail.

Posant la main sur ses reins, il la guida vers la porte.

— Il le faudrait pourtant. Et maintenant, allons nous coucher. Nous réfléchirons demain à la meilleure manière de venir ensemble à bout de la tâche.

— Très bien. Cela me fait plaisir que tu prennes les choses ainsi.

— Et je suis sincère, Mariah. Mais surtout ne reviens pas ici de nuit, c'est trop dangereux.

— Détends-toi, je pratique le karaté depuis des années ! D'ailleurs, quelqu'un devrait peut-être rester en permanence sur le site pour en assurer la sécurité.

— Sans doute, admit-il, mais il n'est pas question que ce soit toi. Si tu tiens à demeurer sur place, j'y resterai avec toi. D'accord ? A présent, nous formons une équipe.

Quand elle rencontra ses beaux yeux bleus, elle y vit une lueur de désir qui la fit frissonner.

— D'accord, balbutia-t-elle.

Le lendemain matin, à 6 h 30, Mariah se rendit au Café des Amis.

L'endroit était bondé, même à cette heure matinale. Elle n'en était pas étonnée. Depuis toujours, ce café était très apprécié à Haven.

Elle promena les yeux sur la salle.

Une jeune serveuse apportait des cafés au son du juke-box. Dans la foule, elle reconnut certains des ouvriers qui travaillaient sur le chantier, et elle finit par découvrir son homme assis au comptoir.

Prenant conscience de la manière dont elle le désignait, elle se raidit. Un baiser ne faisait pas de Shane Hunter « son » homme, son petit ami. D'ailleurs, il n'était pas question pour eux de renouer une relation amoureuse. Ils devaient focaliser leur attention et leurs énergies sur le chantier.

Shane était en pleine conversation avec un grand brun qui était de dos. Comme il rejetait la tête en arrière pour éclater de rire, Mariah se rendit compte qu'elle ne l'avait pas vu si détendu depuis une éternité. Travailler avec elle n'était pas facile pour lui, elle le savait.

Dès qu'il l'aperçut, la bonne humeur de Shane parut s'envoler et son visage se ferma.

— Tu es là, parfait.

Prenant son bras, il lui indiqua son compagnon.

— Mariah, te rappelles-tu mon frère, Nate ?

Avec un sourire, elle lui tendit la main.

— Bien sûr. Bonjour, Nate. J'ai entendu dire que vous étiez devenu le shérif de la ville.

L'homme vêtu d'un uniforme kaki se leva pour la saluer.

— Pas pour longtemps. Je vais prendre ma retraite dans quelques mois. Heureux de vous revoir, Mariah.

Elle fut surprise que l'ancienne star locale du football se souvienne d'elle.

— Merci.

— Shane m'a dit que vous êtes chargée de l'améliorer.

— Oui, il en a besoin, dit-elle en s'asseyant à côté d'eux.

A ces mots, Nate se mit à rire. Lorsqu'il s'esclaffait ainsi, il ressemblait énormément à son cadet.

— Bonne chance ! La famille a renoncé depuis longtemps à le changer.

— Hey, je suis là ! protesta Shane. Nate, n'as-tu pas un travail ou une femme qui t'attendent ?

— Pas pour l'instant, déclara celui-ci.

Et, avec un sourire, il se tourna vers Mariah.

— Je suis très bien ici.

Shane était furieux contre son frère. Comment osait-il faire son numéro de charme à Mariah ? Il était marié !

Comme un client quittait la place à côté de la jeune femme, il s'assit à côté d'elle.

— Nate, nous devons discuter d'affaires importantes, dit-il. Alors laisse-nous, veux-tu ?

Il se reprochait son comportement possessif, mais il ne pouvait s'en empêcher.

A ces mots, Mariah fronça les sourcils.

— Nous avons le temps ! Nous ne commençons à travailler qu'à 7 heures et j'aimerais me restaurer un peu.

— Je m'en occupe, répondit Shane en hélant la serveuse.

— Lisa ?

Cette dernière s'approcha d'eux.

— Un peu plus de café, Shane ?

— Ce serait sympa, et Mariah souhaiterait un petit déjeuner complet.

Comme il se tournait vers la jeune femme, il se rendit compte qu'elle n'était pas contente qu'il commande pour elle. Elle s'adressa à Lisa.

— Je voudrais des œufs brouillés et des toasts, s'il vous plaît.

Quand Lisa s'éloigna, Nate et Mariah poursuivirent leur conversation, ignorant complètement sa présence.

A la vue du petit sourire de son frère, Shane se rendit compte que celui-ci se vengeait de toutes les fois où il avait flirté avec Tori. Mais Nate perdait son temps, il n'avait aucune intention de renouer avec sa petite amie du lycée. Il ne voulait qu'une chose : trouver avec elle un terrain d'entente pour réussir à travailler ensemble.

Il considéra le reflet de Mariah dans le miroir mural, admirant ses yeux verts avant d'examiner sa bouche pleine et sensuelle. Le cœur battant, il détourna la tête.

Cette femme était d'une beauté à couper le souffle, mais il s'en moquait, non ?

A ce moment-là la radio de Nate se mit à grésiller, et il se leva pour écouter le message. Quand il raccrocha, il regarda Mariah d'un air désolé.

— Le devoir m'appelle, mais je suis navré de vous quitter si vite, Mariah. Cela m'a fait plaisir de vous revoir. J'espère avoir prochainement l'occasion de vous présenter Tori, ma femme.

— J'en serais ravie, assura la jeune femme tandis que la serveuse lui apportait son assiette.

— Alors à bientôt. Salut, frérot, ajouta-t-il avec une bourrade amicale dans le dos de Shane.

Comme il se dirigeait vers la sortie, quelqu'un entra dans le café.

Shane réprima un gémissement en reconnaissant sa mère.

Avec un sourire, celle-ci s'avança vers Mariah et lui.

— Bonjour, Shane.

Elle l'embrassa et se tourna vers Mariah.

— Mariah ! s'exclama-t-elle avec chaleur. Que je suis contente ! Cela fait si longtemps !

— Bonjour, madame. Vous semblez en pleine forme.

— J'ai entendu dire que vous travailliez avec Shane à présent.

— C'est vrai. Je suis la directrice du projet.

— C'est très bien, assura Beth en souriant.

Shane voyait presque les rouages du cerveau de sa mère fonctionner.

— Maman, que fais-tu en ville de si bon matin ?

— Je m'ennuyais. J'ai décidé d'aller faire un tour dans le quartier.

— Et tu t'es arrêtée ici parce que…

— Eh bien, j'ai aperçu la voiture de Nate dehors et je voulais lui apprendre qu'Emily nous rend visite ce week-end.

Shane en fut surpris.

— Elle va faire l'aller-retour de Los Angeles pour deux jours ?

Personne dans la famille n'avait été ravi de voir Emily se lancer dans l'industrie cinématographique et s'installer en Californie dès la sortie du lycée.

— Peut-être a-t-elle retrouvé son bon sens et décidé de revenir vivre à la maison ? ajouta-t-il.

Betty fronça les sourcils.

— Non, elle ne va certainement pas renoncer à sa carrière. Mais elle a, paraît-il, de bonnes nouvelles à nous annoncer. Voilà pourquoi Tori et moi organisons un barbecue au ranch samedi.

À ces mots, Shane fronça les sourcils. Il avait prévu de profiter du week-end pour avancer le chantier.

— Pourquoi ne pas se réunir plutôt à la maison, pour un petit dîner en toute simplicité ? D'ailleurs, je connais Nate, il va me mettre une truelle dans les mains, et…

— Pas cette fois. Ce sera une fête de famille, et personne ne travaillera.

Sa mère salua de loin Sam Price, le propriétaire du café.

— Je vais inviter Sam et lui demander d'apporter sa salade de chou blanc à la mayonnaise. Elle est toujours délicieuse.

Puis elle se tourna vers Mariah.

— Et j'espère que vous serez également des nôtres, Mariah. Cela me ferait si plaisir !

Prise par surprise, Mariah se pétrifia.

— Merci, madame, mais je ne veux pas m'imposer.

— Ne dites pas de bêtise, nous serons enchantés de vous avoir parmi nous. Et je suis sûre que Shane sera fier de vous montrer les améliorations qu'il a opérées au ranch. Je vous en prie, venez ! D'autant qu'Emily sera également accompagnée.

Formidable ! pensa Mariah. Elle et Shane allaient être perçus par tous comme un couple. Qu'en pensait-il lui-même ? Elle n'osait pas le regarder pour le savoir.

— Merci, j'y réfléchirai.

— Maman parvient toujours à ses fins, intervint Shane. Alors, autant accepter tout de suite.

La gorge nouée, Mariah sourit à Betty Hunter.

— D'accord, c'est entendu.

— Je passerai te prendre, ajouta Shane.

Avant qu'elle puisse protester, Sam sortit de la cuisine pour venir saluer Betty.

— Salut, toi, lança-t-il à Shane. Je ne te vois plus.

— Je suis pourtant assis sur cette banquette depuis une bonne demi-heure.

— Je ne regardais pas dans cette direction. Je préférais admirer cette jolie fille. Bonjour, Mariah, je suis content que vous soyez revenue dans la région.

— Bonjour, Sam, répondit-elle en souriant. Vous n'avez pas pris une ride.

— Pas de tabac, pas d'alcool, et du rock à gogo, voilà le secret de ma forme ! Malheureusement, les jeunes d'aujourd'hui n'aiment pas ma musique. Ils préfèrent la techno...

Elle hocha la tête. Le juke-box ne contenait que des disques des années soixante et des vieux rocks. Sam avait appris à danser à toute la génération précédente de Haven.

— Quel dommage ! dit-elle. Moi, je ne me lasse pas de ces tubes.

— Tant mieux. J'ai appris que vous aviez accepté la dure responsabilité d'obliger ce garçon à marcher droit.

Shane leva les yeux au ciel.

— Eh, cessez de parler de moi comme d'un gamin irresponsable !

Tous se mirent à rire.

— Alors, qu'est-ce qui vous amène ? reprit Sam en croisant les bras.

— La faim, dit Shane. Nous sommes là pour prendre le petit déjeuner avant d'aller travailler.

— Bien, je vais y aller, annonça Betty.

Elle salua Sam et quitta le café.

Shane la suivit des yeux, songeur. Depuis longtemps, il avait deviné qu'il y avait anguille sous roche entre Sam et sa mère. Bien sûr, ils n'en laissaient rien paraître et ne se comportaient certainement pas comme des amoureux. Mais il était évident que tous deux s'intéressaient l'un à l'autre.

Une fois Betty partie, il se tourna vers Sam.

— Mariah aimerait louer la chambre du dessus.

Sam fit la grimace.

— Je n'y suis pas remonté depuis que Tori l'a quittée. Elle doit être tapissée de toiles d'araignées.

— Nous la nettoierons.

— Et elle est minuscule et assez sombre.

— Je n'ai pas besoin d'un palace, assura Mariah. C'est temporaire. Je cherche seulement un endroit où dormir jusqu'à la fin du chantier.

Sam alla ouvrir un tiroir et en sortit une clé.

— Tiens, Shane. Montre-la-lui. Je ne peux pas abandonner le service à cette heure-ci.

— Merci. Viens, Mariah, dit-il en se levant.

Il prit sa main pour l'entraîner vers l'escalier.

Une fois la porte ouverte, Mariah eut du mal à cacher sa déception. L'endroit était minuscule, sombre et poussiéreux.

— Sam n'exagérait pas à propos de l'état de la pièce, dit-elle en inspectant la salle de douche aussi exiguë que le reste.

— Il faut voir le positif… Tu seras plus près du lotissement.

C'était vrai. Ses parents vivaient de l'autre côté de la ville.

— Les embouteillages sont rares à Haven.

— Tu n'auras plus à prendre ma défense vis-à-vis de ton père.

— Qu'est-ce qui te fait croire que c'est le cas ?

60

Il haussa les épaules.

— Tu ne seras plus obligée de lui raconter quotidiennement mes faits et gestes.

Elle acquiesça intérieurement. C'était la meilleure raison.

Elle regarda fixement le grand lit recouvert d'une courtepointe de coton.

— D'un autre côté, je ne profiterai plus des petits repas de ma mère…

— Sam sert de très bons dîners tous les soirs.

— Et je n'aurai pas beaucoup de place pour recevoir. Je ne pourrai pas inviter plus d'une personne à la fois.

Shane planta ses yeux dans les siens. Une mèche brune lui tombait sur le front. Dieu, qu'il était séduisant ! Et il le savait !

— Pour ma part, j'ai toujours préféré l'intimité du tête-à-tête aux grandes fêtes, susurra-t-il.

Elle remonta sans répondre la bride de son sac sur son épaule. Elle était folle de songer à convier qui que ce soit dans cette chambre, et plus folle encore de s'imaginer avec Shane. Mais elle ne pouvait pas s'en empêcher.

— Je n'aurai surtout pas le temps d'organiser quoi que ce soit, rétorqua-t-elle en tendant la main pour prendre la clé.

— Je reconnais bien là la sage Mariah, qui ne fait que travailler et ne se divertit jamais.

— En effet…

Son compagnon lui adressa un clin d'œil malicieux.

— Peut-être arriverai-je à te faire changer sur ce point ?

Le samedi suivant, Mariah dut reconnaître que les derniers jours sur le chantier s'étaient plutôt bien passés.

Elle le devait à Shane, qui avait radicalement changé d'attitude à son égard. Grâce à lui, elle avait réussi à nouer des rapports de confiance avec le reste de l'équipe. Mais surtout, elle se félicitait d'avoir quitté le domicile de ses parents.

En temps normal, Kurt Easton n'était déjà pas un homme facile à vivre. Mais depuis qu'elle avait accepté de travailler sur ce chantier, elle n'en pouvait plus de répondre à ses interrogatoires permanents. Des années plus tôt, son père avait eu un problème avec l'alcool. C'était une des raisons qui l'avaient poussée à s'en aller après le lycée. Elle adorait sa famille, mais elle avait ressenti le besoin impératif de prendre son indépendance. Pourtant, la culpabilité la rongeait souvent. En effet, en partant, elle avait laissé son jeune frère Rich seul pour affronter les méfaits de la maladie paternelle. Même si leur père avait renoncé à boire depuis cinq ans, la vie familiale était loin d'être simple. Depuis qu'elle était revenue, son cadet ne cachait pas son ressentiment à son endroit. S'installer dans cette chambre n'était pas une mauvaise idée.

Avec un soupir satisfait, Mariah promena les yeux dans son nouveau domaine. Depuis trois jours, elle avait lessivé les murs, les avait repeints en jaune et avait accroché de nouveaux rideaux. Des serviettes pimpantes et un tapis en éponge agrémentaient la salle de bains.

Bien sûr, elle avait donné la priorité à son travail. Tandis qu'elle mettait de l'ordre dans les papiers administratifs et les factures, Shane s'activait avec les hommes à rattraper le temps perdu. Ils avaient aussi fait appel à une équipe de gardiennage de Tucson. Désormais, deux hommes surveilleraient le site en permanence.

Elle jeta un dernier regard dans le miroir.

En ce début de mois de mai, elle avait revêtu un pantalon étroit et un corsage fleuri. Délaissant les bottes qu'elle portait chaque jour, elle avait enfilé une élégante paire d'escarpins.

Elle attrapait un pull lorsqu'elle entendit frapper à la porte.

Shane.

Avec une profonde inspiration, elle lui ouvrit.

Il lui sourit et entra sans attendre d'y être invité. Habillé d'un simple jean propre et d'une chemise qui mettait en valeur ses larges épaules, il était magnifique.

— Waouh ! Tu as complètement transformé cette pièce !

— Un peu de peinture et voilà tout, murmura-t-elle, un peu déçue qu'il n'ait pas remarqué d'abord sa propre métamorphose.

Il sourit de plus belle.

— Et toi aussi, tu es magnifique.

— Merci, toi aussi, dit-elle très vite en s'emparant d'un petit rosier en pot.

— Qu'est-ce que c'est ?

— Un cadeau pour Tori. Je sais qu'elle est férue de jardinage.

Shane planta ses yeux dans les siens tandis qu'elle serrait le pot contre elle. Un long moment il ne souffla mot, se contentant de l'hypnotiser de son regard bleu.

— Fais attention, Mariah Easton, tu vas finir par perdre ta réputation de chien méchant.

Elle sourit, sachant qu'il essayait de la faire sortir de ses gonds.

— Au cas où tu ne l'aurais pas remarqué, Shane Hunter, je ne suis pas un chien mais une femme.

— Oh, je m'en suis aperçu, ne t'inquiète pas. Plus que je ne le devrais, d'ailleurs.

A ces mots, un frisson la parcourut et elle s'efforça de ne pas rougir.

Avec un petit sourire, il reprit la parole.

— Avant de partir, j'aimerais me mettre d'accord avec toi sur deux ou trois points.

— Comment cela ?

— Comme nous allons arriver ensemble, tous les membres de ma famille vont présumer que nous sommes en couple. Et plus nous tenterons de le nier, plus ils en seront convaincus.

Une vague de déception traversa Mariah.

— Tu préfères donc que je n'y aille pas ? Bon, je comprends.

Elle lui tendit le rosier.

— Tu donneras cela à Tori et tu lui expliqueras que j'avais du travail.

— Mais non ! Qui t'a dit que je n'avais pas envie que tu viennes ? Je veux juste te faire une proposition.

Elle avait presque peur d'entendre la suite.

— Et laquelle ?

— Agissons pendant cette journée comme si nous sortions ensemble.

Elle en resta sans voix.

Shane était-il fou ? Tentait-il de lui briser le cœur une fois de plus ? Elle vit son sourire charmeur et comprit qu'il se comportait comme s'il était certain qu'elle allait lui tomber dans les bras. Qu'est-ce qu'il croyait ? Bien, ils allaient donc jouer la comédie, mais tant pis pour lui s'il croyait que c'était dans la poche !

4.

Sur la route, Shane sentait la tension de Mariah, assise à côté de lui dans le camion.

Comment le lui reprocher ? Plus il tentait de ne pas s'engager avec elle, plus elle était mêlée à sa vie. Or, il n'avait pas besoin de femme pour le moment, et surtout pas de Mariah Easton. Aucun avenir commun n'était envisageable avec elle, et le fait qu'elle soit belle et séduisante n'y changeait rien. Voilà pourquoi, par la suite, il éviterait de la voir en dehors du chantier.

A l'entrée du ranch, il ralentit. Il était fier de montrer à la jeune femme la propriété à présent qu'il l'avait entièrement restaurée avec son frère.

Six mois plus tôt, Nate avait réussi à racheter le domaine familial, et depuis tous deux s'efforçaient sans relâche de lui redonner sa splendeur d'origine. Pendant des semaines il avait sacrifié ses week-ends et ses soirées à retaper la vieille demeure et à y installer une cuisine moderne pour que Nate puisse s'y installer avec sa jeune épouse.

Comme il se garait devant le perron, Mariah promena les yeux autour d'elle avec ravissement.

— J'ai toujours adoré cette maison ! s'exclama-t-elle. J'ai entendu dire que tu y avais beaucoup travaillé.

Il ne masqua pas son étonnement.

— Qui t'en a parlé ?

— Rod. Je suis heureuse que vous ayez récupéré ces terres, ajouta-t-elle.

Il la devinait sincère. Mariah n'était pas comme son père. Elle n'avait jamais nourri de haine contre quiconque, même pas contre un Hunter. Mais Kurt Easton savait pouvoir compter sur la loyauté sans faille de sa fille…

— Maintenant, c'est Nate qui possède ce domaine. Il a hérité des talents d'éleveur des Hunter. Quant à moi, j'ai préféré m'orienter dans le bâtiment.

— Ton grand-père avait bâti lui-même cette demeure pour y abriter sa famille. C'est de lui que tu tiens ce don pour les travaux manuels.

Shane la regarda, surpris et touché par cette réflexion. Mais avant qu'il puisse répondre, la porte s'ouvrit et Tori se précipita à leur rencontre. Bien qu'enceinte de cinq mois, elle semblait encore mince et fluette. Comme ils sortaient du camion, Nate, Sam et leur mère vinrent à leur tour les accueillir.

— Comme je suis contente que vous soyez là ! s'écria Betty en embrassant Mariah avec chaleur.

— Je vous remercie de m'avoir invitée, répondit celle-ci.

Shane se chargea des présentations

— Tori, voici Mariah.

Un peu mal à l'aise, Mariah tendit son rosier à la jeune femme qui s'exclama d'un air ravi :

— Il est magnifique ! Merci beaucoup, Mariah ! J'espère que j'arriverai à le garder en vie.

Tandis qu'ils éclataient de rire, Shane observa le couple qui arrivait de l'arrière du jardin.

Emily était vêtue d'un jean et d'un petit T-shirt rose, pareille à elle-même. L'homme qui l'accompagnait était aussi blond qu'elle était brune. Habillé d'un pantalon de toile et d'un élégant polo, il marchait comme s'il craignait de se salir et n'avait certainement jamais mis les pieds dans un ranch.

— Ainsi, tu en as eu assez de Los Angeles et tu as décidé de rentrer à la maison, lança-t-il à sa sœur d'un ton moqueur.

— Pas question de me retrouver de nouveau sous les ordres de mes frères ! répliqua-t-elle avec un petit rire.

— C'est vrai, on te menait à la baguette, autrefois, renchérit-il en l'embrassant. C'était le bon temps. Heureux de te revoir, Em. Mais qui est ce garçon ?

— Oh, Jason, désolée, je manque à tous mes devoirs. Voici mon frère Shane.

Avec un sourire chaleureux, le grand blond lui tendit la main.

— Je suis très heureux de vous rencontrer. Emily m'a tellement parlé de sa famille que j'ai l'impression de vous connaître depuis toujours.

Shane la lui serra avec un bref sourire.

Ce type était-il le petit ami d'Emily ? Malgré ces belles paroles, il faudrait tout de même qu'il fasse ses preuves.

Il attira Mariah à lui.

— Em, te souviens-tu de Mariah Easton ? Elle est de retour dans la région et m'aide sur le chantier.

Emily le considéra d'un air amusé, comme si elle s'interrogeait en retour sur la nature de ses relations avec Mariah.

Finalement, Nate frappa dans ses mains.

— Comme tout le monde est là, Emily va pouvoir nous dire les nouvelles qu'elle est venue nous annoncer. Vas-y, Em, ne nous fais pas languir.

Aussitôt, Shane glissa un œil sur la main gauche de sa sœur. Elle n'était ornée d'aucune bague, constata-t-il avec un profond soulagement.

Emily sourit.

— Eh bien, Jason m'a accompagnée parce qu'il aimerait jeter un œil sur le ranch. Il est producteur de films, et je lui ai vendu mon manuscrit : Les Hunter de Haven.

A ces mots, tous restèrent un instant bouche bée.

— Chérie ! s'exclama enfin Betty. C'est merveilleux ! Je sais que tu as beaucoup travaillé pour l'écrire.

Shane se rappela qu'Emily avait entrepris d'importantes recherches quelques mois plus tôt sur les Hunter depuis leur arrivée aux Etats-Unis.

— Super, sœurette.

A leur tour, Nate et Tori la félicitèrent.

— J'espère que tu as un bon avocat pour vérifier le contrat ?

— Mon agent s'occupe de tout, expliqua-t-elle. Et la société de Jason a acheté les droits. Il aimerait commencer à tourner dans quelques mois. Le ranch lui paraît l'endroit idéal pour faire le film.

Tandis qu'elle leur donnait les détails de l'affaire, Shane regardait avec stupéfaction sa petite sœur.

Malgré leurs craintes initiales, la benjamine de la famille avait finalement réussi à concrétiser ses rêves !

Une heure plus tard, pendant que les hommes entouraient Nate près du barbecue, les femmes s'activaient dans la cuisine.

Mariah admira l'œuvre de Shane. Il avait conçu la pièce à la perfection. L'érable qui tapissait les murs comme l'évier en granit et les tomettes ambrées sur le sol étaient magnifiques.

Poussée par la curiosité, elle fit le tour de la maison, remarquant les planchers de chêne, les salles de bains intégralement refaites…

Shane était très doué de ses mains, elle le savait depuis des années. A l'époque où elle sortait avec lui, il avait pensé entreprendre des études d'architecture. Tous deux avaient alors beaucoup de projets. Puis Ed Hunter était mort, et tout avait changé. Le monde de Shane s'était écroulé et il s'était détourné d'elle…

Comme Tori la rejoignait dans le salon alors qu'elle était en contemplation devant l'immense cheminée de pierre, elle sursauta, surprise.

— Désolée, dit-elle en rougissant. J'étais dans la lune.

La femme de Nate sourit et lui chuchota à l'oreille.

— Avec ces séduisants Hunter dans les parages, cela n'a rien d'étonnant.

— As-tu besoin de moi ? demanda Mariah, feignant de ne pas saisir l'allusion.

— Pas vraiment, tout est prêt. Mais si tu veux, aide-moi à porter les salades au jardin. Aux dires de Nate, la viande est presque cuite.

Avec un hochement de tête, elle s'empara de deux saladiers sur la table de la cuisine et sortit sur la terrasse.

Shane, Nate, Sam et Jason riaient à gorges déployées, réunis autour du barbecue.

Shane lui tournait le dos. Il lui parut plus séduisant que jamais dans son jean étroit et sa chemise qui moulait ses épaules carrées. Lorsqu'il l'aperçut, il se précipita vers elle pour la débarrasser de son chargement.

— Merci, dit-elle.

Comme il lui décochait un sourire charmeur, son cœur s'accéléra dans sa poitrine.

Quel toupet ! songea-t-elle. Cette petite comédie destinée à faire croire à tout le monde qu'ils étaient ensemble les mènerait à quoi ?

— Décontracte-toi, lui souffla-t-il. Nous sommes

en couple, tu t'en souviens ? Je suis censé me montrer attentionné.

— Inutile d'en rajouter, d'accord ?

Il la prit par le bras pour s'isoler un instant avec elle au fond du jardin.

— Ne trouves-tu pas cela drôle ?

— Non. Cette mascarade est ridicule. Chaque fois que tu t'approches de moi, tout le monde interrompt sa conversation pour nous regarder.

— Tu crois ?

Sa mère, sa sœur et Tori sortaient justement de la maison.

— Alors peut-être devrions-nous leur donner du grain à moudre ? insinua Shane.

Et aussitôt, penchant la tête, il s'empara de ses lèvres pour y déposer un tendre baiser.

Elle savait qu'elle aurait dû le rembarrer mais s'en sentit incapable. Elle noua ses bras autour de son cou et le laissa l'embrasser avec un frisson de plaisir.

Soudain la voix de Nate les héla.

— Cessez de vous bécoter, les tourtereaux, et venez déjeuner ! Le repas est servi.

Avec un clin d'œil complice, Shane s'écarta d'elle et l'escorta jusqu'à la table.

— Je meurs de faim ! déclara-t-il en prenant place.

Plus tard dans l'après-midi, Shane se dirigea vers le corral à la recherche de Mariah.

Il savait qu'il jouait avec le feu en tentant de se retrouver en tête à tête avec elle, surtout après l'avoir embrassée devant tout le monde, mais il en mourait d'envie.

Il tentait de se persuader qu'il cherchait uniquement à empêcher sa mère de jouer les entremetteuses. Mais quand sa bouche avait touché celle de Mariah, cela ne comptait plus et il n'avait plus pensé qu'à elle.

Repoussant le désir qu'il sentait monter en lui, il se traita d'idiot. Après leur rencontre au milieu de la nuit sur le chantier, il s'était pourtant juré de ne plus l'approcher. L'attirance qu'il éprouvait toujours pour elle était dangereuse. Il n'était pas question de succomber à la tentation. Ils devaient travailler ensemble pendant trois mois.

Mais lorsqu'il se remémorait leur baiser, il oubliait toute prudence et ne craignait plus de prendre tous les risques.

Quand il entra dans l'écurie, il lui fallut un instant pour s'habituer à l'obscurité, mais il finit par découvrir la jeune femme dans le box de Gypsy, en train de caresser le poulain que la jument avait mis bas quelques jours plus tôt.

Elle lui parut détendue et très belle, et il la désirait plus que tout au monde.

Lorsqu'elle se tourna vers lui, le sourire de la jeune femme disparut, même s'il devinait que l'attraction qui les avait autrefois réunis était toujours là.

Elle planta ses yeux dans les siens.

— Shane…

Ignorant son avertissement, il s'approcha d'elle et la prit dans ses bras.

— Si tu essaies de me faire croire que tu n'as pas envie de m'embrasser, tu es une menteuse.

Il se pressa contre elle. Sentir son corps magnifique contre lui le rendait fou.

— Nous ne devrions pas faire ça, protesta-t-elle faiblement.

— Tu en rêves autant que moi, répliqua-t-il en capturant sa bouche.

Il réfléchirait aux conséquences demain. Pour l'instant, seul comptait son désir de l'étreindre avec force. Quand leurs langues se mêlèrent pour une danse sensuelle, il l'entendit gémir et approfondit encore leur baiser. Il était affamé d'elle et l'embrassait comme un dément. Sa main s'insinua sous son corsage à la recherche de ses seins ronds.

Lorsqu'elle sursauta, il s'écarta sans la quitter des yeux.

— Tu veux que j'arrête ? demanda-t-il avec douceur.

Mais elle secoua la tête et se hissa sur la pointe des pieds pour coller de nouveau ses lèvres aux siennes. Il oublia tout pour ne plus penser qu'à la chaleur des caresses de Mariah, à la passion qui l'animait. Elle allumait en lui un incendie. Le souffle court, il la plaqua contre le mur et se colla à elle. Leurs corps s'emboîtaient à la perfection.

— Vois ce que tu fais de moi, Mariah, dit-il.

De nouveau, il captura sa bouche et l'embrassa avec rage. Il l'étreignait avec force comme pour ne faire plus qu'un avec elle.

Soudain, il entendit Nate entrer dans l'écurie et s'écarta à la hâte de la jeune femme. A la vue de ses lèvres meurtries, de ses joues rouges, il éprouva le besoin de la protéger.

— Ne t'inquiète pas, chérie. Tout va bien.

Nate leur sourit d'un air entendu.

— Désolé de vous déranger.

— Que fais-tu là ? lui jeta Shane, tentant de reprendre contenance.

— Je suis venu en éclaireur, frérot. Emily et son producteur veulent faire le tour de la propriété à cheval et je tiens à les accompagner. Ils seront là dans un instant. S'ils souhaitent utiliser le ranch pour tourner ce film, il va falloir reconstruire la cabane de grand-père. Veux-tu te joindre à nous ? J'aimerais ton avis là-dessus.

— Très bien, je te suis.

Dès qu'ils furent seuls, il reprit Mariah dans ses bras.

— Je suis désolé que Nate nous ait interrompus.

— Cela vaut peut-être mieux, dit-elle sans le regarder. Ecoute, une balade équestre ne me dit rien pour le moment. Je vais rester là et tenir compagnie à Tori.

Comme elle s'apprêtait à quitter l'écurie, il la retint, même s'il savait qu'il serait incapable de la quitter s'ils devenaient trop proches l'un de l'autre.

— Ma mère est déjà avec elle. Viens, je t'en prie ! J'ai envie de rester encore un peu seul avec toi. Je te promets de ne plus te toucher.

Elle le toisa d'un petit sourire.

— Ce ne sont pas tes mains qui m'inquiètent le plus.

— D'accord, je ne t'embrasserai plus devant les

78

autres. Mais pour tenir ma promesse, j'ai besoin de force.

Et il s'empara de nouveau de sa bouche.

Elle était folle. Folle à lier. Folle de Shane Hunter.

Tandis que Mariah enfilait des bottes et sortait de son box le cheval qui lui avait été attribué, cette idée ne la quittait pas.

Elle se rendait compte que rien n'avait changé malgré ces années loin de Haven. Chaque fois qu'elle avait tenté de se lier à d'autres hommes, elle les avait toujours comparés à Shane, et aucun ne lui arrivait à la cheville.

Mais comment pouvait-elle éprouver des sentiments aussi forts pour lui alors qu'elle ne parvenait plus à lui faire confiance ? Sans parler du fait que son père la renierait si elle renouait avec lui. Même si les raisons qui poussaient Kurt Easton à détester les Hunter étaient absurdes, il ne cesserait pas de si tôt. Et que devrait-elle faire ? Choisir entre eux deux ?

Comme si Shane devinait ses pensées, il lui adressa un clin d'œil par-dessus son épaule.

Son cœur se mit à battre la chamade tandis qu'elle

se remémorait les baisers qu'ils venaient d'échanger dans l'écurie.

Nate prit la tête du petit groupe, et ils arrivèrent bientôt à l'endroit où le grand-père Hunter avait bâti sa cabane un siècle plus tôt. Le toit s'était envolé, mais les murs tenaient debout.

Shane sauta à terre et vint aider Mariah à descendre de sa monture.

Au lieu de s'intéresser au futur film de sa sœur, il focalisait toute son attention sur Mariah. Il avait encore envie de l'étreindre contre lui, de l'embrasser.

Ils entrèrent dans la maisonnette en ruines. Même s'il n'en restait pas grand-chose, les fondations de la cabane avaient survécu aux années.

— C'est génial ! s'exclama Jason. C'est exactement ce que je me représentais en lisant le manuscrit d'Emily. Bien sûr, ce serait mieux avec un toit.

— Le vent l'a emporté il y a une vingtaine d'années, dit Nate. Tu t'en souviens, Shane ?

— Oui, très bien.

— Penses-tu que tu pourras la restaurer ?

— Certainement, mais je me demande s'il le faut.

Il regarda Emily qui se tenait près de Mariah.

80

— Le cœur de l'histoire de notre famille se trouve ici. C'est un endroit sacré. Y toucher, ce serait comme violer un sanctuaire.

Nate se tourna vers le producteur.

— Jason, je partage l'avis de Shane. Seriez-vous d'accord pour bâtir la copie de cette cabane un peu plus loin ?

— Cela semble une bonne idée. Pourrions-nous chercher le lieu adéquat pour la construire ?

— Bien sûr. Allons-y.

Comme il se dirigeait vers les chevaux, Shane le héla.

— Nate, si cela ne t'ennuie pas, Mariah et moi rentrons à la maison.

Dès que les autres cavaliers se furent éloignés, il sourit à Mariah.

— Enfin seuls !

— Tu aurais pu les accompagner. Je connais le chemin.

— Je n'en avais pas envie. Je préfère te parler.

— Mieux vaut discuter uniquement du chantier.

— Et pas de nous ?

— Il n'y a pas de « nous », Shane. Nous travaillons ensemble, c'est tout.

— Alors ces baisers ne voulaient rien dire pour

toi ? Tu m'as embrassé, étreint, caressé, mais cela ne signifiait rien ?

Elle frissonna, luttant contre le désir que ses mots faisaient resurgir en elle.

— Je ne nie pas que nous sommes attirés l'un par l'autre.

— Attirés ? Quand nous sommes dans les bras l'un de l'autre, un tel feu nous embrase que j'ai eu peur de déclencher un incendie dans l'écurie, tout à l'heure.

— Et que veux-tu prouver, Shane ? Que j'ai toujours des sentiments pour toi ?

Il ne savait pas quoi répondre.

— Il y a toujours eu quelque chose entre nous, non ?

— Ce n'est pas parce que tu sais embrasser que je vais me jeter à tes pieds, Shane. Nous ne sommes plus au lycée. Il s'est passé trop de choses autrefois pour que nous puissions envisager un avenir ensemble. Et plus tôt tu en prendras conscience, mieux cela vaudra pour toi et moi.

5.

En proie à un désir intense, Shane enlaçait Mariah.

Lorsqu'elle se plaqua contre lui et qu'il la sentit s'abandonner, une joie sans mélange s'empara de lui. Il l'embrassa avec avidité tandis qu'elle gémissait, prenant tout ce qu'il lui donnait, exigeant davantage.

Fébrilement, il l'allongea sur le lit.

Sous le poids de leurs corps brûlants, le sommier protesta, mais il n'en avait cure. Mariah le hantait depuis si longtemps. Il avait envie d'elle depuis tant d'années !

— Shane, fais-moi l'amour, je t'en supplie, murmura-t-elle de sa voix voilée, arquée sous lui.

— Avec plaisir, répondit-il.

Mais soudain un bruit strident vibra dans ses oreilles.

Il tenta de ne pas y prêter attention, mais il n'y

parvenait pas, et Mariah commençait à dispa-
raître.

Non, cria-t-il, ne me laisse pas !

Le visage en sueur, il se mit sur son séant, se
rendant compte que la sonnerie du téléphone l'avait
tiré du sommeil.

Dans un état second, il s'empara du récepteur.

— Oui, allô ! grommela-t-il, le souffle court.

— Le chantier a de nouveau été vandalisé, lui
annonça Mariah.

Il consulta sa montre. 2 heures du matin.

— Mariah ?

— Le vigile ne parvenant pas à te joindre, il m'a
appelée. Tu devais dormir comme une souche.

La main dans ses cheveux, il tenta de recouvrer
ses esprits.

— Ecoute, je suis bien réveillé, à présent. Je te
retrouve là-bas dans une demi-heure.

Mariah sortait juste de sa petite voiture lorsqu'il
se gara à côté d'elle. Il bondit de l'habitacle tout en
boutonnant sa chemise.

Il la salua d'un signe de tête.

— Où est Roger ?

— Je ne l'ai pas vu, je viens juste d'arriver. Mais
nous allons le trouver.

84

D'un pas assuré, elle se dirigea vers l'endroit où était stocké le matériel.

Il la poursuivait.

— T'a-t-il appris quelque chose ? Ont-ils attrapé le petit voyou qui… ?

Mariah s'arrêta pour lui faire face.

— Ecoute, Shane, je n'en sais pas plus que toi. Si tu n'avais pas été si occupé, tu aurais décroché quand Roger a tenté de te joindre et tu aurais pu lui poser toi-même la question.

Comme elle reprenait sa marche, il la saisit par le bras.

— De quoi parles-tu ? Je n'étais pas « occupé », je dormais !

— Si tu le dis…

Il la regarda avec ahurissement et nota son visage fermé, son regard fuyant.

— Tu as cru que j'étais avec une femme ? s'enquit-il avec un petit sourire.

Elle se raidit.

— Passe ton temps avec qui tu veux, ce ne sont pas mes affaires. A moins que cela ne gêne ton travail.

Cette fois, elle ne s'arrêta que lorsqu'elle aperçut les deux vigiles.

Roger Shields et Jerry Turner s'approchèrent.

— Désolé de vous avoir réveillée, Mariah, dit Roger.

Retraité de la marine, il portait les cheveux très courts.

— J'ai cru qu'on les avait, reprit son compagnon.

— Quels dégâts ont-ils causés cette fois ? s'enquit Shane.

— Ils ont couvert de graffitis les murs d'une des maisons en construction, lui dit Roger. Jerry et moi les avons poursuivis et en avons attrapé un, mais lorsque nous avons aperçu des flammes dans l'entrepôt, nous l'avons lâché pour juguler l'incendie.

— Ils l'ont allumé avec de l'essence, je le sens, remarqua Shane.

— Seigneur ! s'écria Mariah. Avez-vous appelé les pompiers ?

Roger secoua la tête sans quitter Shane des yeux.

— Nous avons réussi à éteindre le feu avant qu'il ne s'étende. Ces gamins sont novices, mais j'ai peur qu'ils ne commettent pire encore si nous ne les arrêtons pas. Le gosse que nous avons coincé puait l'alcool. Je regrette de ne pas avoir eu le temps de lui arracher la cagoule qu'il portait sur le visage.

— Avez-vous vu un véhicule ? reprit Shane.

86

— Non, ils sont probablement venus à pied, à travers champs. Sans doute avaient-ils un 4x4 garé plus loin.

Les mâchoires serrées, Shane entra dans le bâtiment et promena sa torche sur les panneaux de placoplâtre.

— Bon sang ! Qui est derrière tout cela ? murmura-t-il.

— Je n'ai pas encore appelé le shérif, Shane, mais peut-être devriez-vous le faire. Même s'il s'agit de gamins, ils jouent à un jeu dangereux.

— J'en parlerai à mon frère dès demain matin. J'aimerais éviter d'ébruiter l'affaire pour ne pas ternir l'image de la future résidence.

— Pardonnez-moi, mais cet aspect des choses me paraît secondaire, rétorqua le vigile. La situation est grave. Si nous n'étions pas intervenus à temps, tout le bois de charpente aurait brûlé cette nuit.

Shane poussa un gros soupir de frustration.

— Que me conseillez-vous ?

— Contacter le shérif sans tarder, répondit Roger avant de s'éloigner.

L'homme avait raison. Il ne pouvait pas imaginer que quelqu'un d'Haven commette un tel délit. S'agissait-il de l'œuvre d'adolescents à la recherche d'un mauvais coup ? En réalité, il se souciait peu de l'identité du ou des responsables. Il voulait que cela cesse.

Il rejoignit Mariah dans l'autre entrepôt. Les fragrances fétides d'essence le prirent à la gorge.

— Les gars ne vont pas pouvoir travailler dans cette puanteur, remarqua-t-il.

— Il y a peut-être une solution. Si nous retirons les planches de contreplaqué imbibées de gasoil, nous nous débarrasserons du même coup de cette odeur pestilentielle. Va chercher ton camion. Nous allons les balancer à la décharge. Demain, l'air sera renouvelé et personne ne s'apercevra de rien.

Surpris, il s'enquit :

— Et ton père ? Ne vas-tu pas lui parler de cette histoire ?

Mariah secoua la tête.

— J'ai été engagée pour superviser les travaux. Et je pense que c'est la meilleure manière de régler le problème. La délation, ce n'est pas mon genre.

A ces mots, Shane se détendit. Peut-être réussiraient-ils à former une équipe, finalement ?

— Je suis entièrement d'accord avec toi.

— Mais nous ne pouvons pas laisser ce genre de choses se reproduire, Shane, ajouta-t-elle en se raidissant. Nous avons eu de la chance ce soir, mais il faut réagir. Il n'est pas question de laisser des sales gosses détruire le chantier.

Il ne put s'empêcher de sourire. Elle était de son côté.

— Je reconnais bien là ma petite chérie.

Elle fronça les sourcils.

— Je ne suis pas ta petite chérie, mais ta directrice de projet.

— Ne peux-tu être les deux ?

— N'as-tu pas assez de femmes comme ça ?

Il sourit d'une oreille à l'autre. L'idée qu'elle puisse être jalouse le flattait.

— Je te l'ai dit. Je dormais !

Mais Mariah ne paraissait pas convaincue. Comme elle se dirigeait vers les bureaux sans lui répondre, il l'arrêta. Il voulait absolument la convaincre de sa bonne foi.

Mais elle se retourna contre lui, furieuse.

— Laisse-moi ! cria-t-elle, essayant de se libérer de son emprise.

— Pas avant que tu n'entendes quelque chose.

Elle cessa de se débattre et se croisa les bras.

— D'accord, je t'écoute.

— D'abord, je n'étais avec personne ce soir. As-tu donc une si piètre opinion de moi que tu me crois capable de passer l'après-midi à t'embrasser puis d'aller coucher avec une autre ? Il m'a fallu un bon moment pour répondre au téléphone parce que j'étais profondément endormi et que je rêvais… de toi. Et si tu veux tout savoir, si la sonnerie ne m'avait pas réveillé, j'aurais partagé avec toi une scène des plus torrides.

— Je suis pourtant content que tu m'aies interrompu, parce que j'aimerais mieux la vivre avec toi pour de vrai.

Mariah ne lui déroba pas cette fois l'éclat de son regard, mais il eut beau sonder ses magnifiques prunelles vertes, il n'y lut aucun message significatif.

Après lui avoir déposé un petit baiser sur le bout du nez, il s'écarta. Il savait qu'elle n'était pas encore prête à lui faire confiance.

Le lendemain soir, à 8 heures, Mariah réintégra sa chambre, exténuée.

La nuit précédente, elle avait nettoyé l'entrepôt avec Shane avant de repartir. Puis, après quelques heures de sommeil, elle était revenue sur le chantier où Shane et Nate l'attendaient.

Ils avaient raconté en détail les incidents au frère de Shane, qui avait promis d'envoyer régulièrement ses hommes faire des rondes sur le site dans l'espoir de décourager les vandales. Après le départ de Nate, Shane n'avait pas été travailler avec le reste de l'équipe. Il avait passé la matinée pendu au téléphone à s'occuper de questions administratives.

De son côté, elle était tellement perturbée par sa présence qu'elle parvenait tout juste à effectuer son travail. Heureusement, Shane était parti vers 5 heures, et elle avait réussi à terminer les fiches de paie à temps.

A présent, elle était enfin chez elle. Ce soir, elle n'aspirait qu'à dîner rapidement avant de se mettre au lit pour dormir tout son soûl.

Avec un soupir de satisfaction, elle retira ses vêtements de travail et se glissa sous la douche, laissant l'eau chaude lui masser le dos plus longtemps que d'habitude. Puis elle s'habilla d'un jean propre et d'un T-shirt, laissant ses cheveux flotter sur ses épaules, et se dirigea vers la kitchenette.

Comme il n'y avait pas grand-chose dans son frigo, elle était sur le point de se faire livrer une pizza lorsque quelqu'un frappa à sa porte.

Qui cela pouvait-il être ? Elle n'attendait personne. Elle fut surprise de découvrir Shane sur le seuil.

— Ecoute, Shane, je suis vraiment épuisée. Je m'apprêtais à commander une pizza avant de…

— Tu n'as pas encore dîné ? Parfait. J'aimerais t'inviter au restaurant.

Elle n'en avait aucune envie, d'autant qu'elle se reprochait encore de lui avoir montré sa jalousie.

— Je suis trop fatiguée pour m'habiller pour sortir.

Lorsqu'il promena ses yeux bleus sur elle, elle sentit son cœur s'emballer dans sa poitrine.

— Tu es très bien comme ça. D'ailleurs, nous n'irons pas loin.

Incapable de protester, elle céda en se traitant intérieurement de tous les noms.

— Bon, d'accord. C'est vrai que j'ai faim. Mais je ne veux pas rentrer tard.

— Pas de problème.

Elle enfila des sandales et passa dans la salle de bains pour se donner un coup de peigne et se mettre un peu de rouge aux lèvres. Au fond, même si ce n'était pas une très bonne idée, cela lui plaisait de passer la soirée avec Shane.

Quand elle réapparut, celui-ci lui sourit.

— Ça te va bien de porter tes cheveux sur les épaules.

Il lui prit le bras, et tous deux descendirent l'escalier. Au lieu de se diriger vers son camion, il la surprit en l'entraînant vers la porte arrière du café.

92

Ils traversèrent la cuisine du restaurant, vide et obscure à cette heure tardive. La salle principale était également plongée dans la pénombre, mais de petites bougies posées sur le comptoir dispensaient une lumière tamisée. Une des tables était couverte d'une nappe blanche ornée d'un bouquet de roses, et le juke-box jouait une ballade irlandaise en arrière-fond.

Elle se tourna vers lui.

— C'est toi qui as préparé tout cela ?

— En grande partie. Mais rassure-toi, j'ai laissé Sam s'occuper du dîner ! Je souhaitais t'offrir une petite soirée spéciale. Tu as travaillé comme une folle ces jours-ci, et j'ai beaucoup apprécié ton soutien.

Il se rapprocha d'elle pour ajouter :

— Et puis, je voulais te parler sans être dérangé.

Même si l'initiative de Shane la ravissait, elle se doutait bien qu'il faisait allusion à son père.

— Pourquoi ce froncement de sourcils ? reprit-il en lui prenant la main. Ce soir, nous n'aborderons pas le domaine professionnel. La semaine a été dure, nous avons besoin de nous détendre.

Il l'entraîna sur la petite piste de danse. Une fois dans ses bras, elle oublia ses doutes. Elle ne pouvait pas lui résister, et pour la première fois depuis longtemps elle avait envie de se laisser aller.

Trop vite, la musique s'arrêta.

Shane se recula légèrement, regrettant d'interrompre cette étreinte. Il aurait voulu garder Mariah contre lui pour toujours.

— Aimes-tu toujours cette chanson ? murmura-t-il.

— Tu t'en es souvenu ?

Il hocha la tête.

— La première fois que nous l'avons écoutée, tu as pleuré tellement tu la trouvais belle.

Elle sourit d'un air gêné.

— Tu n'étais pas censé le remarquer.

— Difficile de faire autrement. Tes larmes inondaient ma chemise. Cela ne me dérangeait pas, note bien. Un garçon prend tous les prétextes pour serrer sa petite amie dans ses bras.

— Ce n'était pas la seule chose que tu cherchais, murmura-t-elle.

Shane hocha la tête. Il se le rappelait parfaitement. Il mourait d'envie de la caresser, et ce désir s'était intensifié avec les années.

— Que veux-tu ? J'étais un ado.

A ces mots, le sourire de Mariah disparut.

94

— Oui, et tu avais déjà une sacrée réputation, dit-elle en s'écartant.

Il n'insista pas, sachant que le moment était passé.

— Un peu de vin ? proposa-t-il.

Il se dirigea vers le bar, remplit deux verres et lui en tendit un.

— Merci, dit-elle en le prenant avec hésitation. Mais boire va sans doute me faire dormir.

— On verra. L'important, c'est que tu l'apprécies.

Après qu'ils eurent trinqué, Mariah huma avec gourmandise l'odeur qui flottait dans la salle.

— Sauf erreur de ma part, nous avons des lasagnes pour le dîner !

— Oui, et nous sommes sûrs de nous régaler, car Sam les prépare comme personne.

Lorsqu'elle sourit comme une petite fille, il dut résister à l'envie de l'embrasser.

— Et maintenant, passons à table.

Il l'invita à s'asseoir et alla chercher le plat en cuisine. Ce n'était pas un si mauvais début.

6.

Le lundi suivant, quand Mariah arriva sur le chantier à 6 heures du matin, Shane était déjà à son bureau. Il la salua d'un bref signe de tête tout en continuant à parler au téléphone.

Ainsi, le travail continuait comme d'habitude.

Lorsqu'il raccrocha enfin, il se tourna vers elle.

— Bonjour, Mariah.

L'air ennuyé, il jouait avec un petit papier rose.

— Bonjour. Y a-t-il un problème ? s'enquit-elle.

— Oui. Le charpentier m'a appelé cette nuit. Il a eu un accident de moto hier.

A ces mots, Mariah blêmit. Décidément, les ennuis s'accumulaient !

— Pauvre homme ! A-t-il été gravement blessé ?

— Non, il s'est cassé le bras. Mais il ne sera

pas capable de travailler avant au moins six semaines.

— Alors il nous faut quelqu'un pour le remplacer.

— En effet, nous ne pouvons nous permettre de prendre du retard. Je viens donc d'embaucher Chuck Harper, un gars avec qui j'ai fait équipe l'été dernier. Il sera là à 8 heures.

— Parfait, dit-elle sans regarder Shane.

Au fond d'elle-même, elle était en colère qu'il n'ait pas essayé de la joindre pendant le week-end. Après leur soirée au Café des Amis le vendredi soir, il aurait quand même pu passer la voir ou lui téléphoner, non ? Pourquoi était-il resté distant ? Jouait-il avec elle ? Se désintéressait-il d'elle parce qu'elle succombait à ses charmes ?

Des années auparavant, Shane avait déjà rompu brutalement et disparu de sa vie. Elle ne voulait pas revivre une telle souffrance.

Elle n'avait nullement besoin de Shane Hunter. Elle devait travailler avec lui, voilà tout. Mais elle n'était pas payée pour remarquer à quel point il était séduisant ni pour fondre à la vue de son sourire.

Non ! D'ailleurs, elle ne voulait même plus penser à lui. La meilleure chose à faire était de garder ses distances.

Aussi travailla-t-elle dans son coin tandis que Shane faisait de même, et la cabane de chantier fut particulièrement silencieuse pendant toute la matinée.

Malheureusement, son père lui téléphona quatre fois pour lui poser des questions idiotes. A chaque nouvel appel, il lui paraissait de plus en plus agité, et à certains moments sa conversation n'avait même aucun sens. Comme s'il était soûl, se dit-elle avec inquiétude. A la fin, elle dut le prier de cesser de la harceler. Elle raccrocha en lui promettant de passer à la maison pour lui faire un bilan de la situation le soir même.

La tête entre les mains, elle se rappela l'époque terrible où son père s'adonnait à la boisson. Son alcoolisme avait failli faire éclater leur famille, et elle avait préféré s'en aller au loin pour échapper à l'ambiance qui régnait chez elle. Elle avait cru que cette période appartenait au passé. Mais était-ce le cas ? Kurt Easton avait-il recommencé à boire ?

Comme elle levait les yeux, elle surprit Shane en train de la dévisager.

— Y a-t-il un problème ? s'enquit-il.

Elle ne parvenait même pas à dissimuler ses émotions.

Rassemblant le peu de courage qu'il lui restait, elle se leva.

— Je crois que j'ai surtout besoin d'aller déjeuner. Veux-tu que je te rapporte quelque chose ?

— Si cela ne t'ennuie pas, je veux bien. Prends-moi un hamburger frites, dit-il en sortant son portefeuille.

Elle refusa le billet qu'il lui tendait.

— Je m'en charge. L'autre jour, tu m'as offert le petit déjeuner.

— Ce n'est rien.

Elle était presque à la porte quand Shane l'arrêta.

— Si je ne suis pas là à ton retour, je serai avec l'équipe. Appelle-moi avec la radio.

Un instant leurs regards se croisèrent, et un courant magnétique d'une extraordinaire intensité passa entre eux.

Shane fut le premier à recouvrer ses esprits.

— Tu es sûre que ça va ?

Elle réussit à opiner du menton. Elle mourait d'envie de lui confier ses soucis, de s'appuyer sur lui. Mais elle avait peur. Shane avait la capacité de lui briser le cœur, elle n'osait pas prendre de risque.

Vingt minutes plus tard, Mariah entra au Café des Amis. L'endroit était noir de monde, et la musique couvrait le brouhaha des conversations. Elle remarqua dans le groupe d'adolescents agglutinés autour du juke-box un grand garçon blond et efflanqué. Son frère Rich.

Elle ne l'avait pas revu depuis qu'elle avait emménagé dans la chambre de l'étage. Peut-être accepterait-il de partager son repas ?

Toute contente, elle fendit la foule pour aller à sa rencontre.

— Bonjour, Richie. Tu vas bien ?

Il fit volte-face et se rembrunit en la reconnaissant.

— Salut, Mariah, marmonna-t-il.

— Tu n'es pas en classe ?

— Nous n'avions cours que ce matin, dit-il en glissant les mains dans les poches de son jean. Alors je traîne avec mes amis.

Elle regarda le reste du groupe.

Rich n'avait manifestement pas l'intention de la présenter à ses camarades, mais la manière dont tous évitaient son regard la frappa.

— Puisque tu n'as pas classe, pourquoi ne viendrais-tu pas avec moi voir le chantier ? Je te montrerais tout, et…

100

— Non ! Je n'ai aucune envie d'y aller ! De toute façon, j'ai déjà prévu quelque chose avec mes copains.

Comme il s'apprêtait à suivre le petit groupe qui se dirigeait vers la sortie, elle le retint un instant.

— Rich, ça me ferait plaisir de passer un petit moment avec toi. Si ce n'est pas aujourd'hui, peut-être une autre fois ?

— Tu veux jouer les grandes sœurs à présent ? C'est trop tard, je n'ai plus rien à te dire. Tu as quitté la maison et tu t'es alliée avec l'ennemi.

Comment pouvait-il la considérer ainsi ?

— De quoi parles-tu ?

— Tu n'es pas comme cul et chemise avec les Hunter, peut-être ?

— Je travaille avec Shane.

— Ah oui ? Et il y a deux semaines, quand il est venu chez toi, c'était pour discuter des travaux ?

Son frère les avait-il aperçus le jour où Shane était passé la prendre pour aller déjeuner au ranch ?

— Sa famille m'avait invitée à un barbecue. Il m'y a conduite.

Un sourire triomphant passa sur les lèvres de Rich.

— Tu vois ! Papa est-il au courant ?

Ainsi la haine que nourrissait son père envers les Hunter était-elle passée à la génération suivante !

— Je n'ai pas à lui raconter mes faits et gestes, rétorqua-t-elle. Et Shane Hunter n'a rien fait de mal. Son grand-père et le nôtre se sont disputés il y a soixante ans, mais tout cela appartient au passé. Ne laisse personne te pourrir l'esprit avec ces histoires.

Rich se raidit.

— En tout cas, au lieu de te solidariser avec le reste de la famille, tu as préféré passer dans le camp ennemi. Tu nous as trahis.

La remarque la blessa.

— C'est papa qui m'a embauchée sur ce chantier. Il n'y a pas d'ennemis, juste une vieille querelle à laquelle il serait temps de mettre un terme.

— Comment peux-tu dire ça ? Ils ont volé nos terres, Mariah ! Et toi, tu les défends !

— Pas du tout ! Je t'en prie, Rich, laisse-moi t'expliquer.

Mais, d'un coup sec, il se libéra de son emprise et sortit à la hâte du café. Par la vitre, elle le vit monter dans sa voiture et démarrer en trombe.

Comment l'aider s'il refusait de l'écouter ?

— Mariah ?

Tournant la tête, elle découvrit Nate.

— Tout va bien ? s'enquit-il.

— Oui, Nate. Pardonnez-moi, j'étais perdue dans mes pensées.

— Sombres pensées, apparemment. Votre frère Rich vous cause-t-il des ennuis ?

Elle n'allait pas déballer ses problèmes de famille en public, aussi se força-t-elle à sourire.

— Des histoires d'ado, rien de grave.

Il ne parut pas convaincu et l'entraîna à une table.

— Vous êtes sûre qu'il ne s'agit de rien d'autre ?

— Pourquoi ? Y a-t-il quelque chose dont je devrais être au courant ?

Nate haussa les épaules.

— Sam a eu des petits ennuis avec Rich et ses copains. Rien de terrible, rassurez-vous.

Mariah se sentit gênée. Elle savait que Sam exigeait un minimum de politesse de la part des jeunes gens qui fréquentaient son café.

Mais Nate poursuivait :

— Je les ai surpris plusieurs fois en train de faire l'école buissonnière, et Rich m'a souvent répondu avec insolence. J'en ai donc touché un mot à votre mère, qui m'a promis de lui parler. La plupart des gamins passent par une phase difficile

103

à l'adolescence. Shane et moi n'avons d'ailleurs pas fait exception. Cela ne nous a pas empêchés de devenir des gens bien.

— Votre frère a gardé des côtés adolescents, répliqua-t-elle.

— Que se passe-t-il ? Vous êtes-vous disputés ? Tous deux aviez pourtant l'air très proches l'autre jour, au ranch.

Il était temps de mettre un terme à la mascarade.

— Nous faisions semblant d'être en couple pour empêcher votre mère de jouer les entremetteuses. Mais il n'y a rien entre Shane et moi. Nous travaillons ensemble, c'est tout.

Un grand sourire éclaira le beau visage de Nate.

— Une chance que maman ne soit pas allée dans l'écurie pour vous voir vous embrasser comme des fous ! Elle aurait organisé immédiatement le mariage !

Shane consulta sa montre. Il était près de 2 heures ! Que fabriquait Mariah ? Alors que d'habitude elle restait sur place pour déjeuner, elle était partie depuis une éternité. Où se trouvait-elle ? Ce matin, quand elle était arrivée, il l'avait sentie contrariée mais l'avait laissée dans son coin. Il aurait dû aller avec elle.

Lorsque la porte s'ouvrit enfin, son cœur s'accéléra dans sa poitrine. Il n'avait pas encore eu l'occasion de la regarder avec attention aujourd'hui.

Il s'efforça de ne pas poser les yeux sur elle. Cela le tuait, mais Mariah avait insisté pour cantonner leurs relations dans un cadre strictement professionnel.

Elle ne voulait pas qu'il l'admire dans son jean moulant qui laissait deviner ses longues jambes fuselées. Aujourd'hui, elle avait natté ses cheveux, mais il se remémorait leurs boucles soyeuses sous ses mains quand il les avait caressées vendredi soir.

Bon, mieux valait ne pas s'appesantir sur ses souvenirs.

— Où étais-tu passée ?

Elle s'approcha de son bureau et lui jeta le sac de papier contenant le hamburger et les frites.

— J'étais sortie déjeuner.

— C'était il y a plus d'une heure ! Et j'ai tenté en vain de t'appeler sur ton portable.

— Bon, maintenant, je suis de retour, dit-elle d'un ton agacé. Quel est le nouveau problème ?

— Je n'ai pas dit que j'avais des problèmes, mais que je n'arrivais pas à te joindre.

— J'avais des affaires personnelles à régler, d'accord ? Si tu ne peux pas te débrouiller cinq minutes sans moi…

Il remarqua dans son regard la tristesse que son ton sec ne parvenait pas à dissimuler.

— Mariah, qu'est-ce qui ne va pas ?

— Rien.

Tournant les talons, elle s'apprêta à se réinstaller à son bureau, mais il la retint par le bras.

— Ce n'est pas vrai. Que s'est-il passé ?

— Oh, ne fais pas semblant de t'intéresser à moi. Depuis ce matin, tu m'ignores royalement !

Il en resta bouche bée.

— Mais n'est-ce pas ce que tu m'as demandé ?

— Pas du tout. Je veux de la sincérité, Shane. Or, tu m'as menti à propos de ta mère : elle ne cherche pas à jouer les entremetteuses.

A qui avait-elle parlé ?

— Depuis que Nate et moi sommes majeurs, elle n'a cessé d'essayer de nous marier.

— D'accord, admettons, ton petit numéro de séduction au ranch était pour elle. Mais le dîner chez Sam ? Lui était-il destiné ? Je crois plutôt que tu avais envie de voir combien de temps il te faudrait pour séduire la directrice du projet. Tu t'es amusé à flirter avec elle et à l'embrasser dans les coins, pour l'ignorer complètement le lundi suivant.

A ces mots, Shane se sentit complètement immonde.

— Mais non, Mariah, ce n'est pas ce que j'ai fait !

Il essaya d'enlacer la jeune femme, mais elle se débattit.

— Je te jure, j'étais sûr que c'était ce que tu désirais, insista-t-il.

A la vue des larmes qui brillaient dans ses yeux, il laissa retomber ses bras.

— D'accord, avec le baiser devant le barbecue, je voulais couper l'herbe sous les pieds à ma famille, je le reconnais. Mais dans l'écurie, rien n'était calculé. Je t'ai embrassée comme un fou parce que j'en mourais d'envie. J'espérais qu'une fois dans mes bras, tu…

— Succomberais à ton charme ?

Il tenta en vain de retenir un sourire.

— L'espoir fait vivre. Je voudrais tellement renouer avec toi. Accorde-moi une deuxième chance, je t'en prie.

Mariah secoua la tête.

— Tu m'as plaquée autrefois, Shane. Et ça m'a

fait très mal. Je n'ai pas l'intention de revivre cet épisode.

— Bon sang, Mariah, j'avais dix-sept ans ! Je me suis comporté comme un idiot égoïste et puéril, d'accord. Mais je venais de perdre mon père, tout s'écroulait. J'étais complètement déboussolé.

— A l'époque, j'ai cherché à te réconforter, à t'épauler, mais tu m'en as empêchée. Tu m'as écartée.

— Oh, Mariah !

Comme il s'apprêtait à l'enlacer, la porte s'ouvrit brusquement, et Kurt Easton entra, l'air très en colère. Mariah bondit en arrière, mais Shane refusa de se laisser intimider par le vieil homme.

— Que voulez-vous, Easton ?

— J'aimerais savoir pourquoi vous n'êtes pas en train de travailler, répondit-il d'une voix cinglante.

Il se dirigea vers le bureau, semblant tenir à peine sur ses jambes. Avait-il bu ? Etait-il ivre ?

— Pourquoi n'êtes-vous pas dehors avec les ouvriers, Hunter ?

— Je suis occupé ici.

— C'est ça ! Mariah est là pour se charger des papiers. Alors allez prendre un marteau et servez-vous-en.

— Papa, je t'en prie, intervint Mariah. L'équipe

108

s'en sort très bien seule pour le moment, nous avons pratiquement rattrapé notre retard.

— Il n'a rien à faire avec toi dans ce bureau ! insista son père en pointant un doigt accusateur sur Shane.

Shane se sentit bouillir. Si Kurt Easton continuait sur ce ton, il allait réunir les autres investisseurs de l'affaire pour leur en parler. Il fallait trouver une solution.

Mais Mariah le devança.

— Papa, je vais te raccompagner et j'en profiterai pour te mettre au courant de l'évolution du chantier, dit-elle. Maman te préparera à déjeuner.

— Je n'ai pas le temps. Nous sommes déjà en retard sur le programme.

Il parlait d'une voix faible, et soudain il devint livide et s'affaissa.

Shane se précipita pour l'empêcher de s'effondrer par terre.

— Je crois que vous feriez mieux de vous asseoir, Kurt. Prenez-vous des médicaments ?

— Ça ne vous regarde pas. Retirez vos sales pattes de moi.

Nonobstant ces paroles peu amènes, Shane obligea Easton à s'installer sur une chaise et le regarda dénouer sa cravate. Il ne sentait pas l'alcool, mais il transpirait, il n'allait pas bien.

D'un signe de tête, Mariah l'invita à la suivre à l'écart.

— Je suis désolée, Shane, je crois que je dois le reconduire à la maison.

— Mariah, je ne cherche pas à me mêler de vos affaires, mais ton père boit-il ?

— Non, plus maintenant. Mais il est… diabétique. Il ne veut pas que cela se sache.

A ces mots, Shane alla ouvrir le petit frigo, en sortit une bouteille de jus d'orange et la tendit à leur visiteur.

— Avalez ça, Kurt.

— Non, laissez-moi tranquille, rétorqua sèchement celui-ci.

— Mariah, oblige-le à boire. Je vais appeler un médecin.

Il composa le numéro d'urgence et expliqua la situation à l'opérateur.

— Ils arrivent, dit-il en raccrochant.

Moins de dix minutes plus tard, les pompiers étaient là. Tandis qu'ils s'occupaient de Kurt Easton, Shane sortit de la cabane de chantier. Il aurait voulu rester à l'intérieur pour soutenir Mariah, mais sans doute valait-il mieux la laisser seule avec son père.

110

La voiture du shérif se garait à cet instant devant lui. Nate en sortit et fronça les sourcils à la vue de son expression soucieuse.

— Que se passe-t-il ?

— Kurt a eu un malaise, je crois qu'il fait un choc diabétique.

— Je ne savais pas qu'il souffrait de cette maladie.

— Moi non plus. Apparemment, il ne souhaitait pas répandre la nouvelle.

Une demi-heure plus tard, une ambulance emporta Kurt Easton à l'hôpital. Mariah partit à sa suite, pâle et visiblement inquiète.

Shane s'approcha d'elle avant qu'elle ne referme sa portière.

— Comment va-t-il ?

— Mieux, mais ils préfèrent le conduire aux urgences. Je l'accompagne.

— Bien sûr.

Les yeux remplis de larmes, elle reprit :

— Mon Dieu ! J'ai oublié d'appeler ma mère.

— Je vais aller la chercher pour la conduire au centre hospitalier. Vas-y, je me charge du reste.

— Merci, dit-elle avant de démarrer.

Il la regarda s'éloigner puis alla donner à Rod ses instructions pour l'après-midi.

— Peux-tu me conduire chez les Easton ? demanda-t-il enfin à Nate.

— Evidemment. Mais Kurt va être furieux que des Hunter aident les Easton à traverser une crise familiale, tu ne crois pas ?

Shane haussa les épaules.

Il se moquait de l'opinion de Kurt. Il ne se souciait que d'une seule personne : Mariah.

Trois heures plus tard, Mariah sortit de la chambre où son père avait été admis.

Sa mère était arrivée une demi-heure après l'ambulance et n'avait pas quitté le chevet du malade depuis lors. Les médecins avaient confirmé le diagnostic du choc diabétique. Kurt n'allait pas bien.

Mariah non plus ne se sentait pas bien. Elle se reprochait d'avoir soupçonné son père d'être retombé dans l'alcool. En réalité, il était simplement malade. Il aurait pu mourir tout à l'heure si…

Elle inspira profondément.

Alors qu'elle traversait la salle d'attente, elle aperçut Shane assis sur une chaise, ses longues jambes étendues devant lui. Il avait les yeux fermés, la tête appuyée contre le mur. A sa vue, une douce chaleur s'empara d'elle. Elle ne s'attendait pas à le trouver là et en éprouva une immense joie.

Comme s'il avait deviné sa présence, il ouvrit les paupières et se redressa.

— Salut.

— Salut, répondit-elle, le souffle court. Tu n'es pas sur le chantier ?

— Je reste en contact avec Rod par portable, dit-il. J'avais envie d'être près de toi. De toute façon, je repasserai plus tard là-bas voir ce qui se passe. Comment va ton père ?

— Etat stationnaire, disent les médecins. Je te remercie de ton sang-froid. Si tu n'avais pas été là...

Il se leva et lui enlaça les épaules.

— Ne pense plus à ça, Mariah. L'essentiel, c'est qu'il s'en soit tiré.

— Comment savais-tu ce qu'il fallait faire ?

— Mon grand-père était diabétique. Un jour, je devais avoir douze ans, il a eu une crise et j'ai vu réagir mon père de cette façon. Il est très important qu'il ne saute pas de repas et prenne bien ses médicaments.

— Ma mère y veillera désormais.

Il sourit.

— Tout ira bien, Mariah.

Et il la prit dans ses bras.

113

En fin d'après-midi, Mariah retourna sur le chantier.

Les ouvriers étaient partis, mais les vigiles sillonnaient le site. Elle se mordit la lèvre en voyant le camion de Shane garé près des bureaux. Elle n'avait pas envie de lui parler. Elle se sentait vulnérable depuis qu'il s'était montré si gentil avec elle.

Toute sa vie, elle avait lutté pour ne dépendre que d'elle-même. Elle voulait se montrer forte et indépendante. Lorsqu'elle était jeune, son père avait détruit sa confiance dans les hommes à force de boire. Puis Shane l'avait plaquée, achevant le travail de démolition commencé par Kurt. Même si elle leur avait pardonné, elle préférait désormais rester sur ses gardes. Il n'était pas question pour elle de retomber sous leur coupe.

En entrant dans la cabane de chantier, elle trouva Shane en grande discussion avec le contremaître.

Elle répondit au salut de ce dernier qui partait, et elle allait s'installer à son bureau pour finir son travail, quand soudain elle eut l'impression que les murs se mettaient à tourner.

Elle s'assit précipitamment et porta la main devant ses yeux.

Shane la considéra avec inquiétude.

— Mariah, ce n'était pas utile que tu reviennes ce soir. Je gère la situation.

— Je sais, mais papa doit passer la nuit à l'hôpital, alors je voulais en profiter pour avancer ici.

Il fronça les sourcils.

— Il va mieux ?

— Oui, le médecin le garde en observation par prudence. Mais il doit changer de régime et apprendre à prendre de l'insuline.

Elle poussa un gros soupir. Elle devinait que l'existence de sa mère allait se compliquer.

— Et toi ? reprit Shane. Ta journée a été rude. Pourquoi ne pas t'accorder quelques jours de repos ?

Qu'essayait-il de faire ?

— Non, ça va.

— Mariah, tu n'as pas à te sentir coupable. Kurt buvait et...

— Arrête ! Je ne veux pas en discuter avec toi.

Elle n'avait jamais parlé à quiconque de l'alcoolisme de son père, mais Shane était manifestement au courant.

— Comment le sais-tu ? s'enquit-elle après un moment de silence.

— Dans les petites villes, tout le monde se mêle des affaires de ses voisins.

Formidable !

— Alors tu te doutes que la vie chez nous n'était pas une sinécure. En fait, c'était souvent très difficile.

Mais elle ne voulait pas de sa pitié.

— Est-ce la raison pour laquelle tu as quitté la ville après le lycée et que tu n'es revenue qu'une dizaine de fois depuis ? Ou était-ce à cause de moi ?

Elle n'avait pas envie d'aborder la question pour le moment. Elle se sentait trop fragile.

— Ne te donne pas trop d'importance, Shane Hunter. J'ai fait le deuil de notre histoire depuis longtemps, mentit-elle.

Il se posa la main sur le cœur.

— Touché.

— Comme si tu t'étais soucié de mon départ ! Tu étais tellement occupé à draguer toutes les filles des environs que tu n'as sûrement même pas remarqué que j'étais partie.

— Pourtant, ce fut le cas. La veille de ton départ, je suis passé chez toi. Ta mère m'a dit que tu ne voulais pas me voir.

Blême, Mariah secoua la tête.

116

— Maman ? Elle ne m'a jamais soufflé mot de ta visite.

Shane haussa les épaules.

— Cela valait sans doute mieux. Cela m'ennuyait que tu t'en ailles avec une mauvaise image de moi. Je n'ai jamais voulu te faire du mal, Mariah. Mais après la mort de papa, nous avons perdu le ranch, et j'ai traversé beaucoup d'épreuves…

— Je sais. Et nous étions si jeunes.

Il planta ses yeux dans les siens.

— Et pourtant, je t'aimais tant.

A cet aveu, elle eut du mal à déglutir.

— Moi aussi, je t'aimais. Mais tout était trop douloureux. A l'époque, partir faire mes études au loin m'avait paru la meilleure solution sur tous les plans.

Shane lui prit les mains.

— A présent, nous avons grandi. Je suis heureux que tu sois revenue et j'espère que tu vas rester.

Elle secoua la tête. Non, elle n'avait pas envie qu'il lui redonne de l'espoir.

— Ecoute, Shane. Dans l'immédiat, je n'ai pas d'énergie pour m'occuper d'autre chose que du chantier et de ma famille.

Il posa un doigt sur ses lèvres pour la faire taire.

117

— Il y a toujours eu quelque chose entre nous depuis que tu es entrée au lycée et que je t'ai vue pour la toute première fois. Tu m'as souri, je m'en souviens, et j'en ai eu le souffle coupé.

A ces mots, les yeux de Mariah s'écarquillèrent.

Il y avait des années, ils avaient mis bêtement un terme à leur histoire. Mais à présent, la chance de tout recommencer s'offrait à eux. Prendrait-elle ce risque ?

— Mariah, j'aimerais finir la discussion que nous avions commencée plus tôt, murmura Shane.

— Non, répliqua-t-elle en s'écartant. Je crois qu'il vaut mieux laisser tomber.

Nonobstant ces paroles, il la prit dans ses bras et s'empara de sa bouche.

Elle ne s'attendait pas à cette étreinte, mais dès que Shane la serra contre lui, elle oublia tout et l'embrassa comme si ça vie en dépendait. Elle ne pensait plus à rien.

— J'avais envie de t'embrasser ainsi vendredi soir, lui dit-il. Samedi, j'ai été trois fois sur le point de t'appeler, et dimanche, deux fois j'ai voulu courir chez toi. Mais je me le suis interdit parce que je savais que tu avais d'autres soucis en tête.

Il promena ses doigts sur sa joue, et elle perdit ses

118

dernières capacités de résistance. Une simple caresse de Shane suffisait à faire tomber ses défenses.

— Dis-moi que tu veux me voir autant que j'en ai envie.

Lui dire la vérité serait désastreux. Pourtant elle ne put s'en empêcher.

— Oui, balbutia-t-elle.

Lorsqu'il captura de nouveau ses lèvres, elle se sentit fondre.

— Je pourrais t'embrasser toute la nuit, lui dit-il.

— Tu n'es pas fair-play, Shane Hunter.

Il picora sa nuque de petits baisers brûlants qui la firent frissonner.

— Dis-moi que tu acceptes de me donner une seconde chance, la supplia-t-il.

— Shane, nous ne pouvons pas laisser nos sentiments prendre le pas sur notre travail.

— Tu mets trop d'obstacles entre nous. Nous pouvons tout à fait nous occuper du chantier et nous retrouver ensemble ensuite, non ?

Elle se mit à rire.

— Tu es fou, Shane.

— Oui, je suis complètement fou. De toi.

7.

Quelques jours plus tard, Mariah revint dans la cabane de chantier après sa pause déjeuner. Comme d'habitude, elle était passée chez ses parents pour voir son père.

Shane lui manquait terriblement.

Deux jours plus tôt, elle lui avait finalement demandé de renoncer à toute relation personnelle avec elle, et il avait respecté son souhait.

Tous deux savaient qu'ils devaient se focaliser sur les travaux, et elle s'activait comme une folle tout en aidant sa mère à s'occuper de son père.

— Bonjour, dit-elle en refermant la porte.

— Bonjour.

Shane lui sourit, et elle sentit son regard s'attarder sur elle quand elle posa ses affaires sur son bureau. Se retournant, elle surprit son regard sur le bas de sa personne et réprima un éclat de rire.

— Nous avancerions plus vite si tu te concentrais

davantage sur les tâches à accomplir, tu ne crois pas ?

— Puisque tu sais si bien lire mes pensées, voyons si tu vas deviner ce que je compte faire maintenant.

Il traversa la pièce pour la prendre dans ses bras, mais elle fut plus rapide et lui échappa. Elle jeta un regard inquiet vers la porte.

— Shane, arrête ! Et si quelqu'un entrait et nous surprenait ? D'ailleurs, nous n'avons pas le temps de chômer.

— Alors pourquoi ne pas nous retrouver ce soir ? Si tu veux, je t'invite au restaurant.

Manifestement, il avait envie de la convaincre de renouer sentimentalement avec lui.

Tentée, elle hésita et finit par secouer la tête.

— Je ne peux pas. J'ai promis à papa de dîner à la maison.

Shane soupira, visiblement frustré.

— Formidable. Comment va-t-il ? Sais-tu quand il pourra reprendre une vie normale ?

— La semaine prochaine, sans doute, répondit-elle.

Elle savait ce qu'il pensait. Si Shane se réjouissait que son père ne soit plus sur son dos, il voyait bien que sa maladie l'épuisait. Kurt leur faisait mener un enfer à elle et à sa mère. Il exigeait leur présence à son chevet en permanence.

— Pourquoi alors n'irions-nous pas partager un verre ? insista-t-il. J'ai quelque chose à te dire.

— Dans l'immédiat, cela ne me semble pas une bonne idée.

Cette réponse le blessa.

— Eh bien, tu me diras quand tu estimeras que c'en est une. Je croyais que tu avais envie de sortir avec moi, mais visiblement, je me suis trompé !

— Je ne le nie pas, Shane, commença-t-elle. Mais il n'est pas utile de précipiter les choses. Nous avons tant à faire !

— Il n'y a pas que le travail dans la vie, Mariah. Mais si tu préfères cantonner nos relations dans un cadre strictement professionnel, libre à toi.

Et, visiblement furieux, Shane prit son casque de chantier, le vissa sur son crâne et sortit en claquant la porte.

Qu'avait-elle fait, Seigneur, pour mériter de pareils partenaires masculins ?

Il était plus de 9 heures du soir quand Mariah se gara devant chez les Hunter.

D'un coup d'œil, elle s'assura qu'il y avait de la

lumière dans l'appartement aménagé dans le garage. Oui, Shane était chez lui.

Elle prit une profonde inspiration. Elle devait se montrer sincère avec lui, il le méritait. Mieux valait lui dire qu'ils ne pouvaient pas aller plus loin. Ainsi, elle ne risquait pas de souffrir, et de plus elle cesserait de contrarier son père. Même si, au fond d'elle-même, elle n'avait pas envie de laisser Shane s'éloigner…

Le cœur battant, elle frappa à sa porte. Mais lorsque Shane apparut, en jean, la chemise ouverte sur son torse musclé, elle en fut si troublée qu'elle resta muette.

— Mariah, que fais-tu ici ? Que se passe-t-il ? Le chantier a-t-il été de nouveau…

— Non, non… Je voulais te parler, mais peut-être n'est-ce pas le bon moment.

Comme elle tournait déjà les talons, il la retint par le bras.

— Mariah, dis-moi seulement si ta présence a un rapport avec les travaux ?

Elle secoua la tête, et un petit sourire apparut alors sur les lèvres de Shane.

Il l'attira à l'intérieur.

— Tu es venue pour me voir ? dit-il en l'entraînant vers le canapé.

123

— Shane, je suis ici pour t'expliquer pourquoi il est hors de question pour moi de renouer avec toi.

Sans la laisser finir, il lui vola un baiser.

— Shane, tu n'es pas sérieux ! protesta-t-elle. Il va nous devenir impossible de travailler ensemble.

— Au contraire, ce sera un vrai bonheur, murmura-t-il en la soulevant et en l'installant sur ses genoux.

Elle ne tenta même pas de résister, c'était aussi inutile que de vouloir nier ses sentiments pour lui. Elle renonçait à lutter. Incapable de s'en empêcher, elle se blottit contre lui avec un soupir et lui rendit son baiser avec passion.

Ses résolutions s'étaient envolées, elle aimait cet homme à la folie.

Entre deux baisers, il lui murmura à l'oreille :

— Tu m'as terriblement manqué, Mariah. Je ne peux pas te dire à quel point je suis heureux que tu sois là.

— Je n'aurais pas dû venir. Nous jouons avec le feu, Shane. Mon père… Il n'acceptera jamais.

Il glissa la main sous son corsage et commença à la caresser.

— Ne pense plus à lui, Mariah, mais à toi, à moi, à nous.

Sa bouche s'empara avec avidité de la sienne.

124

Lorsqu'il dégrafa son soutien-gorge, elle retint son souffle. Le regard rivé au sien, elle vit le désir se refléter dans ses prunelles bleues. Puis il fit rouler les bouts de ses seins entre ses doigts, et elle s'agrippa à lui avec un gémissement, foudroyée par le plaisir.

— Shane…

Soudain, il interrompit leur baiser et rabattit son chemisier. Elle sentait son cœur battre à grands coups dans sa poitrine.

— J'ai tellement envie de toi que j'ai peur d'exploser, dit-il en la serrant contre lui. Mais tu n'es pas prête à aller plus loin, je le sais. Et je ne veux pas abuser de toi.

— Mais j'ai envie de toi !

— Moi aussi. Mais il ne faut pas aller trop vite.

Il avait raison, et pourtant elle brûlait de désir pour lui.

— Tu as bien changé depuis le lycée ! ironisa-t-elle. A l'époque, tu ne cessais de me toucher.

Il se mit à rire.

— Et toi, tu m'en empêchais. Tu ne me laissais pas te caresser.

Soudain, les doutes qui la torturaient depuis toujours resurgirent.

— J'ai toujours pensé que c'était la raison pour laquelle tu avais rompu.

— Mariah, tu n'y es pas du tout ! Quand mon père est mort, j'étais perdu. Nous n'avions plus d'argent, plus de maison, alors j'ai fait n'importe quoi. Je ne voulais pas de ta pitié. Mais tu avais énormément d'importance pour moi.

— Je comprenais tes malheurs et je voulais être là pour toi, t'entourer, mais tu courais après toutes ces filles…

— C'est vrai, j'ai fréquenté d'autres femmes. Mais pas autant que la rumeur ne l'a prétendu.

Avec un petit soupir, Mariah nicha sa tête au creux de l'épaule de Shane. Elle avait envie de le croire.

— Je devrais rentrer chez moi.

— Pas avant que tu n'aies entendu ce que j'ai à te dire.

Il prit son visage entre ses mains.

— Comprends-moi bien, Mariah. J'avais envie de toi à l'époque et je te désire toujours autant aujourd'hui. Mais si je te fais l'amour maintenant, je suis sûr que tu le regretteras demain, et je ne le supporterai pas. Je veux plus qu'une nuit avec toi. Maintenant, il faut aller dormir. Demain, une rude journée nous attend, et j'ai envie que mes affaires marchent. Mais surtout, j'aimerais que tu reviennes dans ma vie, Mariah. Le chantier nous occupe beaucoup, mais je suis sûr que nous pouvons nous arranger pour sortir ensemble de temps en temps. Qu'en penses-tu ?

— Oui, cela me plairait. Mais que faire avec mon père ?

— Mariah, nous n'allons pas le laisser nous gâcher la vie !

— Non, mais il est malade...

— Chérie, j'ai tellement envie d'être avec toi, dit-il en l'embrassant. Ecoute, avant que tu partes, je veux te montrer quelque chose pour te prouver que tu ne m'intéresses pas uniquement pour le sexe.

Il lui tendit un dossier.

— Accepterais-tu de jeter un œil pour moi à cette proposition de travaux que j'ai reçue hier ?

Stupéfaite, elle feuilleta le fascicule.

— Toi, tu sais comment parler aux filles !

Il sourit.

— Je les fais toutes craquer.

Le lendemain matin, Shane se gara près de la voiture de Mariah.

Même si sa pensée l'avait empêché de dormir

une bonne partie de la nuit, son cœur battait plus vite à l'idée de la revoir.

Il grimpa les marches de la cabane du chantier quatre à quatre et se précipita à l'intérieur, mais en entrant il aperçut Jack et Tom, deux membres de l'équipe.

— Salut, Shane. Tu travailles avec nous aujourd'hui ?

— Eh oui, il faut bien que quelqu'un vous surveille, les gars, répondit-il en riant.

Mariah tendit leurs chèques aux deux ouvriers.

Dès qu'ils furent partis, il s'approcha d'elle. Il la prit dans ses bras et l'embrassa avec fougue.

— Bonjour.

— Bonjour, dit-elle nerveusement, avec un regard inquiet vers la porte.

— Tu as peur que quelqu'un nous surprenne ?

Elle hocha la tête.

— Notre vie privée ne concerne personne.

— Alors si tu veux, retrouvons-nous chez toi plus tard.

— Peut-être, oui.

Avec un sourire, elle ouvrit le tiroir de son bureau et en sortit le fascicule qu'il lui avait confié la veille au soir.

— As-tu cinq minutes pour en discuter ?

— Tu l'as déjà lu ? s'écria-t-il, stupéfait.

— Je n'arrivais pas à trouver le sommeil.

— Alors, qu'en penses-tu ?

— Le projet de lotissement de Las Vegas est deux fois plus important que celui-ci. Comment comptes-tu t'organiser pour gérer un si gros chantier ?

— Il me suffit de réunir une bonne équipe. Et la plupart de mes hommes seront d'accord pour aller travailler six mois là-bas.

— J'en suis certaine. En tout cas, le dossier me semble solide. Les délais et les prix sont raisonnables.

Shane sentit croître son excitation.

— Que dirais-tu d'aller vivre quelque temps à Las Vegas ?

— Moi ? Tu veux m'embaucher ?

— Bien sûr ! Si tu n'as rien de prévu à la fin de celui-ci, viens m'aider là-bas.

Il ne lui demandait pas seulement de prendre la direction du projet, et à son petit sourire il vit qu'elle le savait.

Elle lui tendit une chemise cartonnée.

— Comme je te le disais, je n'ai pas réussi à dormir.

Il posa sur elle un regard interrogateur avant de parcourir les feuillets et émit un sifflement.

Mariah avait planché toute la nuit sur son projet !

— Seigneur, je n'espérais pas une étude si détaillée !

— Je dois encore vérifier le montant des matières premières. A mon avis, le mieux est de convaincre tes meilleurs ouvriers de te suivre et de faire appel à la main-d'œuvre locale pour compléter l'équipe.

— Plus je t'écoute, et plus j'ai envie de décrocher ce contrat. Accepterais-tu de venir avec moi à Las Vegas pour m'aider à convaincre les investisseurs de me confier le chantier ?

Mariah se mordillait les lèvres, visiblement partagée. Evidemment, son père ne lui pardonnerait pas de s'allier avec un Hunter.

Quand elle leva les yeux vers lui, il crut qu'elle allait refuser.

— J'en serais ravie, dit-elle.

Le vendredi suivant, ils prirent l'avion à Tucson. Ils n'avaient mis personne au courant de leur voyage, se gardant surtout de préciser qu'ils partaient ensemble.

A Las Vegas, après avoir récupéré leurs bagages, ils louèrent une voiture pour se rendre à l'hôtel où Shane avait réservé une suite de deux chambres.

130

Mariah semblait mal à l'aise, et il comprit qu'il lui appartenait de détendre l'atmosphère.

— Si tu n'es pas trop fatiguée, que dirais-tu d'aller faire un tour en ville ?

Elle sourit.

— Donne-moi un quart d'heure pour me changer, et je suis à toi.

— Inutile, tu es très bien ainsi.

— D'accord, mais j'aimerais passer un coup de fil à ma mère pour lui dire que je suis bien arrivée.

— Qu'as-tu raconté à tes parents pour leur expliquer ton absence ?

— Que j'étais venue postuler une place sur un autre chantier. Ce qui est vrai.

Il la regarda entrer dans sa chambre et fermer la porte.

Loin de Haven et de leurs familles, ils n'avaient à se soucier que d'eux-mêmes ce week-end, et il espérait bien en profiter.

Mais en aurait-il la possibilité ? Mariah accepte-rait-elle d'aller plus loin avec lui alors que son père y était violemment opposé ?

Mariah réapparut. Elle avait détaché ses cheveux et s'était maquillée. Un sourire aux lèvres, elle vint vers lui, lui noua ses bras autour du cou et l'embrassa avec fougue.

Aussi ravi que surpris, il s'enquit :

— Je ne me plains pas, mais pourquoi ce baiser ?

— Je voulais commencer la soirée du bon pied. Et te remercier d'avoir pensé à moi pour la direction de projet.

— Nous n'avons pas encore emporté l'affaire.

— Nous décrocherons ce contrat, j'en suis certaine, répliqua-t-elle d'un air confiant. Tu jouis d'une solide réputation dans le bâtiment, à présent.

— Par superstition, je préférerais attendre d'avoir signé pour fêter l'événement. Viens, allons dîner. J'ai faim.

Il lui prit la main et l'entraîna dehors avant d'être incapable de résister à une autre faim qui le torturait et qui n'avait rien à voir avec la nourriture.

Voilà longtemps que Mariah ne s'était pas autant amusée. Elle n'était pas revenue à Las Vegas depuis le lycée. D'ailleurs, elle n'avait pas les moyens de prendre des vacances et considérait que jouer était une perte de temps et d'argent. Mais avec Shane, elle découvrait que c'était aussi très excitant.

La chance lui souriait. Un quart d'heure après s'être assise à la table de la roulette, l'employé du casino déposait déjà devant elle cent dollars pour une mise de cinq !

— Je crois que tu vas pouvoir nous inviter au restaurant demain, lui dit-il en souriant

Puis il l'entraîna vers les machines à sous.

— Oh, Shane, je n'oserais jamais mettre mon argent là-dedans !

— Mais si ! Qui ne risque rien n'a rien ! lui dit-il en versant une poignée de monnaie dans sa poche. Nous allons bien voir.

A contrecœur, elle accepta mais perdit à plusieurs reprises et préféra arrêter.

— Une dernière fois, l'encouragea Shane.

Sans y croire, elle glissa une pièce dans la fente, actionna la mannette, et soudain trois pommes apparurent.

— Shane ! Nous avons gagné !

— Pas assez, répliqua-t-il en rejouant aussitôt.

Comme rien ne se passait, Mariah renonça à continuer.

— Restons-en là, dit-elle.

— Où est passé ton esprit aventureux ?

— J'ai peur de voir s'envoler mes gains !

Il se pencha pour déposer un petit baiser sur ses lèvres.

— Fais-moi confiance, murmura-t-il à son oreille.

Hypnotisée, elle introduisit une nouvelle pièce dans la machine. C'est alors qu'un air de trompette se fit entendre : ils avaient gagné le jackpot. 35 000 dollars !

Shane l'embrassa.

— Je t'avais dit que nous formions une bonne équipe !

Vers 1 heure du matin, il lui demanda si elle voulait rentrer se coucher.

Mariah hésita. Elle ne s'était jamais autant amusée. Passer la soirée avec Shane Hunter était le rêve de toutes les femmes. Et ce soir, il était pour elle seule, comme dans un conte de fées. La nuit était magique, et elle se sentait prête à faire la fête jusqu'à l'aube.

Mais, songeant à la journée importante qui les attendait le lendemain, elle finit par se montrer raisonnable et décida qu'il était temps de rentrer.

Quand Shane posa la main dans son dos pour l'inviter à pénétrer dans leur suite, elle ne put réprimer un frisson. Elle ne voulait pas le laisser s'en aller.

Le petit appartement était plongé dans l'obscurité, mais toutes les lumières de Las Vegas brillaient à la fenêtre. Elle sortit sur le balcon pour admirer ce spectacle féerique.

— Quelle nuit ! s'exclama Shane en la rejoignant. Dommage que nous devions nous lever tôt demain. Merci pour cette soirée, Mariah. Je me suis bien amusé.

— Moi aussi, murmura-t-elle. Et en plus, ce fut enrichissant. J'espère que nous aurons autant de succès demain.

— J'en suis sûr, dit-il en lui caressant le visage. A nous deux, nous sommes invincibles. Il n'y a rien que nous ne puissions réussir.

Il pencha la tête pour déposer un léger baiser sur ses lèvres.

— Ensemble, ajouta-t-il.

Il s'empara de sa bouche et l'étreignit contre lui avec force. Sous cet assaut passionné, Mariah se sentit faiblir. Lorsqu'il la relâcha finalement, tous deux avaient le souffle court.

— Cela m'ennuie vraiment de mettre un terme à cette journée magique, mais je crois que nous ferions mieux d'aller dormir.

Il lui embrassa le bout du nez et la raccompagna à sa chambre.

— Merci encore, Mariah, et à demain.

Elle l'entendit entrer dans sa chambre et fermer sa porte.

Elle mourait d'envie de courir le rejoindre mais elle savait qu'elle ne le devait pas. Aller plus loin les entraînerait fatalement au désastre par la suite.

Le conte de fées était fini.

Le lendemain, la chance était au rendez-vous. Les investisseurs et les architectes avec qui ils passèrent la matinée montrèrent beaucoup d'intérêt pour leurs idées.

Les sentant ferrés, Mariah leur cita les chantiers prestigieux sur lesquels elle avait travaillé pour achever de les convaincre, et finalement, le marché fut conclu.

De retour à l'hôtel, Shane, en joie, décida de fêter dignement cette réussite. Il l'envoya acheter une robe neuve pour l'occasion.

Elle trouva un ensemble rose composé d'une petite veste cintrée à la taille et d'une jupe étroite, mais elle tint à le payer avec ses propres deniers. Elle s'offrit également une élégante paire de sandales italiennes.

A 6 heures du soir, elle achevait de se maquiller lorsque Shane frappa à la porte de sa chambre. Elle eut le souffle coupé en le découvrant dans un costume brun avec une chemise blanche et une cravate. Il était magnifique.

— Mariah, tu es ravissante !

— Toi aussi !

Lorsqu'il la prit dans ses bras et l'embrassa, elle noua ses bras autour de son cou. Elle avait faim de sa bouche, de ses mains, de sa peau.

Shane la pressa contre lui.

— Je te désire, Mariah, comme je n'ai jamais désiré une femme de ma vie. Et si nous ne sortons pas très vite de cette chambre, je sens que je vais t'arracher ton tailleur.

— J'en meurs d'envie, Shane.

— C'est vrai ? Tu parles sérieusement ? Tu veux que je te fasse l'amour ?

Elle planta ses yeux dans les siens et hocha la tête.

— Mais ton père ? Et la querelle de famille ?

— Elle ne nous concerne pas, Shane. Catherine a épousé ton grand-père parce qu'ils s'aimaient.

— Nous sommes ensemble pour la même raison.

Il l'embrassa longuement avant de plonger ses yeux bleus dans les siens.

— Mariah, veux-tu m'épouser ?

Mariah ne parvenait plus à réfléchir. D'ailleurs,

depuis que Shane était revenu dans sa vie, elle en était parfaitement incapable.

Au contraire, elle se surprit à hocher la tête avec un sourire béat devant cette proposition à la fois folle, incroyable et merveilleuse.

Shane ne se le fit pas dire deux fois.

Exultant, il l'embarqua aussitôt dans un taxi pour aller acheter une licence de mariage, sous prétexte qu'elle risquait de changer d'avis.

Mais il avait tort de s'inquiéter, pensait-elle à part elle. Elle mourait d'envie d'épouser l'homme qu'elle aimait depuis toujours. Ses baisers l'enivraient, ses mots la rassuraient, et à ses côtés elle se sentait bien, à sa place. Ils seraient heureux, elle en avait la certitude. Il ne pouvait pas en être autrement.

Elle le dévora des yeux tandis qu'il prononçait le oui qui l'engageait pour la vie.

Lorsque l'officiant les eut déclarés unis pour le meilleur et pour le pire, Shane l'embrassa avec ferveur, et elle se sentit fondre.

— Et à présent, madame Hunter, déclara-t-il, retournons à l'hôtel célébrer l'événement comme il se doit.

8.

Shane dut s'y reprendre à trois fois avant de réussir à ouvrir la porte de leur suite, tant il était ému. Puis il souleva Mariah de terre et la porta à l'intérieur.

— Je tiens à faire les choses comme il faut, lui dit-il tandis qu'elle nouait les bras autour de son cou. En respectant la tradition.

Quand elle l'embrassa avec passion, il sentit qu'il devait se ressaisir s'il ne voulait pas aller trop vite. A l'idée d'être désormais marié, il aurait dû être la proie d'une vague de panique. Mais, devant la beauté de Mariah, il ne ressentait qu'un désir croissant.

Dans le salon, une table couverte d'une nappe blanche et fleurie de petits bouquets de roses avait été dressée. Des bougies éclairaient la pièce d'une douce lueur.

— Oh, Shane ! s'exclama Mariah. C'est magnifique ! Comment as-tu fait ?

— Il m'a suffi de passer un coup de fil à la direction de l'hôtel, répondit-il en la posant à terre.

Après un nouveau baiser, il s'empara de la bouteille de champagne dans le seau à glace.

— Je sais que nous avons un peu précipité les événements, mais cela ne signifie pas que nous n'allons pas faire de cette soirée une date mémorable.

D'une main tremblante, il remplit deux coupes et en tendit une à la jeune femme.

— Buvons à la santé de ma ravissante épouse ! Dis-moi que je ne rêve pas, Mariah, que je ne vais pas me réveiller et m'apercevoir que tu n'es plus là.

Elle se rapprocha.

— Ne t'inquiète pas, Shane, je suis ta femme, dit-elle en l'embrassant. Quand commençons-nous notre lune de miel ?

A ces mots, le cœur de Shane s'accéléra.

— Je pensais que nous pourrions commencer par dîner. Tu as sans doute faim...

Mariah vida son verre et le posa sur la table.

— J'ai faim, dit-elle. Mais pas seulement de nourriture.

— Comme moi, répondit Shane.

Tentant de se maîtriser, il captura sa bouche et la goûta avec gourmandise. Quand elle répondit avec fougue à son baiser, une émotion incontrôlable s'empara de lui. Il n'avait jamais désiré une femme à ce point.

Mariah n'arrivait pas à croire que Shane Hunter était devenu son mari. Tout à coup, elle ne savait plus si ce mariage la ravissait — elle épousait l'homme qu'elle aimait depuis toujours — ou la terrifiait. Depuis près de quinze ans, elle mourait d'envie d'unir sa vie à la sienne, mais seraient-ils heureux ? Son père le détestait. Serait-elle obligée de choisir entre eux deux ?

Refusant de s'angoisser, elle s'efforça d'oublier ses inquiétudes pour ne plus penser qu'à l'instant présent et à Shane. Elle promena les mains sur son torse musclé et se pressa contre lui, laissant la passion s'emparer d'elle.

Il la serra avec force et picora son visage, sa nuque, de baisers brûlants. Puis, sans effort, il la reprit dans ses bras pour la porter jusqu'à la chambre.

Eclairé par des bougies, le lit était ouvert comme pour les accueillir.

— J'attends ce moment depuis le premier jour où je t'ai rencontrée, murmura-t-il.

Mariah retint sa respiration. Elle avait à présent douze ans de plus, mais elle n'avait pas plus d'expérience qu'à l'époque où elle avait fait sa connaissance.

De nouveau, il captura sa bouche et, apparemment incapable de se contenir plus longtemps, commença à la déshabiller.

— Mieux vaut enlever ce petit ensemble avant que je ne l'abîme, dit-il d'une voix teintée de passion et de promesses. Je tiens à ce que cette nuit soit parfaite.

Lentement, il lui retira sa veste, fit glisser sa jupe à terre. Les yeux brillants, il la contempla tout en caressant ses seins du bout du pouce.

Frissonnante de plaisir, elle noua ses bras autour de son cou. Lorsqu'il se pencha et se mit à sucer un de ses mamelons, elle réprima un gémissement et se tendit, anticipant la suite.

Alors, Shane l'allongea sur le lit et se dévêtit à son tour.

Quel homme magnifique ! songea-t-elle, le souffle court, à la vue de ses larges épaules, de son torse musclé, de son ventre plat.

Avec un sourire, il se pencha vers elle pour couvrir son corps de baisers brûlants.

— Que tu es belle ! murmura-t-il. Je te veux, Mariah.

142

— Fais-moi l'amour, Shane. Je t'en prie. Maintenant.

Shane n'avait pas besoin d'encouragements supplémentaires. Il acheva de la déshabiller avant de se glisser entre ses cuisses. Il trouva son chemin dans son corps de femme, si accueillant.

Il avait rêvé de cet instant depuis si longtemps ! Quand Mariah noua ses jambes autour de ses reins, il accéléra le mouvement. Ensemble, ils s'envolèrent vers le septième ciel.

— Shane ! hurla-t-elle dans un cri d'extase.

Incapable de se maîtriser plus longtemps, il se fondit en elle avant de s'abattre, foudroyé.

La gorge serrée par une indicible émotion, il réalisa qu'il l'aimait, qu'il l'avait toujours aimée.

— C'était... magique, balbutia-t-il. Vous ai-je déjà dit que je suis fou de vous, madame Hunter ?

Mariah murmura quelque chose d'inaudible et soupira d'aise, blottie contre lui.

Il décida de savourer son bonheur sans plus se poser de questions. Ils venaient de partager un moment fort, il se sentait comblé, pleinement heureux, apaisé.

Mais très vite, le monde extérieur réapparut avec son lot de doutes.

Mariah rouvrit ses grands yeux verts soudain assombris par l'inquiétude.

— Te rends-tu compte de ce que nous avons fait, Shane ? Nous sommes venus à Las Vegas pour décrocher un contrat, et nous voilà mariés.

Il prit son visage entre ses mains et planta ses yeux dans les siens.

— Je ne le regrette pas. Et toi ?

Un frisson la parcourut, tandis que des larmes perlaient à ses paupières.

— Moi non plus, Shane. Notre mariage va provoquer beaucoup de remous, mais non, je ne regrette rien.

— Je suis tellement heureux, dit-il en l'embrassant.

— Viens, chéri. Retournons au paradis.

Le lendemain matin à l'aube, Shane contemplait Mariah endormie.

A présent, elle était sa femme ! Il ne parvenait pas encore à y croire. L'idée d'être désormais responsable de quelqu'un d'autre l'étourdissait un peu, d'autant qu'il ne se sentait pas vraiment prêt à l'assumer. Il était en train de monter son entreprise, il était couvert de dettes… Cela dit, s'il achevait le chantier en temps et en heure, il se renflouerait vite. Et le contrat qu'il venait de décrocher lui garantissait un avenir serein. Mais en attendant il leur faudrait vivre, Mariah et lui, dans son petit appartement…

Un an plus tôt, il avait acheté un grand terrain hors de la ville avec l'idée d'y bâtir un jour sa maison. Mais il n'avait pas trouvé jusqu'ici le temps ni l'argent pour concrétiser son projet. Maintenant, il allait se mettre à l'ouvrage sans tarder.

Il regarda son épouse allongée près de lui, ses cheveux étalés sur l'oreiller. Elle devait être fatiguée, car ils n'avaient pas beaucoup dormi cette nuit.

Le cœur battant, il se rappela leurs torrides ébats. Malgré les années, rien n'avait changé entre eux. Ils étaient toujours affamés l'un de l'autre, et leur complicité sensuelle était totale.

Son corps se tendit, il avait de nouveau envie d'elle.

Incapable de résister au regain de désir qui lui cisaillait les reins, Shane déposa un baiser sur les lèvres de Mariah.

Aussitôt, elle noua ses bras autour de son cou et l'embrassa avec ferveur.

— Rappelle-moi qui tu es, murmura-t-elle d'une voix ensommeillée.

Il s'allongea sur elle et picora de petits baisers sa peau brûlante.

— Je vais te faire l'amour avec tant de force que tu ne m'oublieras jamais, lui promit-il.

Comme il s'emparait de sa bouche avec gourmandise, le téléphone retentit.

— Laisse-le sonner, ordonna Shane.

Il n'était pas question de laisser quiconque interrompre ce moment !

Mais la jeune femme se redressa.

— C'est impossible.

Avec un soupir, il décrocha le combiné, prêt à envoyer au diable l'individu qui osait l'importuner pendant sa nuit de noces.

— Allô !

— Hunter ! hurla la voix coléreuse de Kurt Easton au bout du fil. J'aimerais savoir ce que vous faites avec ma fille.

— Je n'ai aucun compte à vous rendre en dehors du chantier. Nous sommes en week-end, Kurt.

— Je m'en moque. Vous êtes responsable de votre travail, vingt-quatre heures sur vingt-quatre, sept jours sur sept ! Maintenant passez-moi Mariah. Et ne me faites pas croire qu'elle n'est pas avec vous. Je viens d'essayer de la joindre dans sa chambre.

Comment Easton savait-il qu'il avait quitté la

ville ? Rod était le seul au courant. Pourvu qu'il n'y ait pas de problèmes.

Blême, Mariah prit l'appareil.

— Oui, papa ?

Shane enfila son caleçon, tentant de ne pas écouter la conversation.

— Nous rentrons dans la journée, disait-elle. D'accord, je viendrai dîner avec vous. A plus tard, papa.

Le drap serré contre sa poitrine, Mariah raccrocha.

— Papa a dû retourner aux urgences hier soir. A présent, il va mieux, mais il s'est étonné que je ne vienne pas le voir, et maman a dû lui expliquer que j'étais à Los Angeles pour un entretien d'embauche.

— Quand nous reviendrons, nous aurons une grande nouvelle à lui apprendre.

Nerveusement, Mariah planta ses yeux dans les siens.

— Shane, nous ne pouvons pas lui annoncer que nous nous sommes mariés. Pas maintenant, en tout cas. Il ne va pas bien.

Blessé, Shane rétorqua d'un ton sec :

— Tu penses que notre mariage fut une erreur ?

Elle se leva, entortillant le drap autour d'elle.

— Non, je n'ai jamais dit cela. Mais dans l'immédiat, mieux vaut n'en parler à personne. Nous avons le chantier et mon père est malade.

D'un geste suppliant, elle posa la main sur le torse de Shane.

— Je t'en prie, gardons la nouvelle pour nous quelque temps. Jusqu'à ce qu'il aille mieux.

Il n'avait pas le choix.

— Jusqu'à ce qu'il aille mieux, répéta-t-il en capturant sa bouche.

Il voulut l'enlacer, mais elle s'écarta.

— Nous devons rentrer par le premier avion. J'ai promis à papa d'aller le retrouver dès que possible. Je vais tout de suite appeler la compagnie aérienne.

Après un rapide baiser, elle se hâta vers sa chambre.

Résigné, il la regarda s'éloigner.

— Si je comprends bien, notre lune de miel est finie ? lança-t-il en direction de la porte.

Le soir même, Mariah prenait place autour de la table familiale. Elle n'avait absolument pas faim. Son mari lui manquait déjà.

Shane l'avait déposée chez elle après leur atterrissage à Tucson. Au cours du voyage, ils n'avaient pas échangé un mot. Elle était blessée qu'il ne lui ait pas proposé de se retrouver plus tard. Bien sûr, elle ne pouvait l'en blâmer. Ils étaient mariés, et elle lui avait demandé de n'en souffler mot à personne !

— Tu ne manges pas ton poulet, chérie ? s'enquit sa mère avec inquiétude. Es-tu malade ?

Agée de cinquante-deux ans, Cheryl Easton était toujours soignée et habillée avec élégance. Elle tenait sa maison à la perfection et avait bien élevé ses deux enfants. Jamais elle n'avait émis une critique contre son mari, qu'elle soutenait en toutes circonstances.

— Non, non, tout va bien, maman.

Son père explosa soudain :

— Comment as-tu pu partir en week-end avec un Hunter ! En tout cas, je t'interdis de revoir Shane, tu m'entends ?

A ces mots, une bouffée de colère s'empara de Mariah.

— Papa, je te rappelle que je travaille avec lui. Et de toute façon, je suis assez grande pour décider de mes fréquentations.

— Quand les gens apprendront que tu as passé deux jours avec lui à Las Vegas, je vais devenir la risée de la ville. Mais tu t'en moques ! Et qu'espères-tu, ma pauvre fille ! Ce type n'est qu'un séducteur.

Elle sentit le rouge envahir ses joues.

Malheureusement, il n'avait pas tort. Shane était sorti avec bon nombre de femmes.

— Personne ne le saura si tu n'en parles pas.

Son frère laissa tomber sa fourchette dans son assiette avec bruit.

— Tu es passée dans le camp de l'ennemi !

— Rich, il n'est pas un ennemi, nous ne sommes pas en guerre.

Elle regarda son père et ajouta d'une voix furieuse.

— Shane n'a rien à voir avec ce qui s'est passé il y a soixante ans.

A la vue des visages butés qui lui faisaient face, elle se leva, excédée.

— Cette discussion est stérile. Je m'en vais.

Grâce à Dieu, personne ne tenta de la retenir, mais comme elle passait la porte, sa mère la rappela.

— Mariah, je t'en prie, calme-toi. Ton père n'a pas besoin de contrariétés supplémentaires.

Elle soupira.

— Maman, j'en ai assez de toutes ces histoires. J'aimerais aider papa, mais je ne supporte plus la haine qu'il nourrit contre les Hunter.

Et comment allait-il réagir en apprenant que Shane

était désormais son gendre ? s'interrogeait-elle avec angoisse.

— Nous devons l'aider, Mariah.

— Il n'a pas à me dire qui je peux voir ou pas.

— Je sais. Et je connais également tes sentiments pour Shane Hunter. Ils ne datent pas d'hier. Au lycée, tu t'arrangeais toujours pour le retrouver en cachette.

— Pourquoi ne m'en as-tu pas empêchée ?

— Parce que je devais déjà m'occuper de ton père, de ses problèmes. Je n'ai rien contre Shane. Il s'est toujours montré courtois envers moi, même le jour où il est venu te voir et que je l'ai renvoyé.

A ces mots, le cœur de Mariah se mit à battre à grands coups dans sa poitrine.

— Quand était-ce ?

— Lors de ta soirée d'adieu. Je ne voulais pas mettre ton père en colère.

— Maman, tu aurais dû me le dire !

— J'en avais l'intention, mais Kurt était déjà bouleversé par ton départ, sans parler de tout le reste.

Elle savait ce que « tout le reste » signifiait. A l'époque, son père buvait. C'est d'ailleurs pourquoi elle avait préféré s'éloigner. Mais Shane avait eu envie de la revoir. Pourquoi ? Voulait-il l'empêcher de s'en aller ?

— Tu aurais quand même dû me le dire, répéta-t-elle.

— Peut-être ne l'ai-je pas fait parce que j'avais deviné que vous vous aimiez tous les deux. Et puisque tu as passé le week-end avec lui, c'est sans doute toujours le cas…

Mariah se mordit la lèvre. Elle mourait d'envie d'avouer à sa mère ses sentiments pour Shane, leur mariage… Mais ces confidences mettraient cette dernière dans une position délicate. Elle ne voulait pas l'obliger à choisir entre son mari et elle.

— Oui, j'aime Shane, se contenta-t-elle de souffler.

Avec un hochement de tête, Cheryl lui prit la main.

— Tu es assez grande pour savoir ce que tu fais. Je n'ai plus à te donner de conseils. Mais ne provoque pas ton père. Il était furieux que Nate Hunter ait racheté le ranch de la famille et que Shane travaille sur le chantier. Et maintenant, il est malade. N'en rajoute pas.

Il était un peu tard pour y songer.

— Maman, toute cette histoire est ridicule. Les Hunter ne cherchent pas à nous nuire. Grand-père est à l'origine de cette dispute, mais j'en veux à papa de la faire perdurer. Et plus encore d'encourager Rich à le faire.

Comme toute mère, elle défendit son fils.

— Rich est un bon garçon. Il cherche juste à attirer l'attention et l'affection de son père.

Mariah en doutait.

— Pourquoi Rich ne viendrait-il pas travailler sur le chantier ? Cela lui permettrait de gagner un peu d'argent de poche.

— Penses-tu que ce serait une bonne idée ?

— Evidemment ! Il se rendrait ainsi compte que Shane n'est pas un sale type. Ils pourraient apprendre à se connaître tous les deux.

— Je lui en toucherai un mot si tu reviens régulièrement rendre visite à ton père. Je sais qu'il a commis beaucoup d'erreurs, mais il t'aime.

— Je l'aime aussi.

Oui, elle les aimait tous.

Son père, son frère, Shane...

Mais pourquoi eux-mêmes se détestaient-ils entre eux ?

Garé en bas de l'immeuble, Shane attendait impatiemment que Mariah réintègre sa petite chambre.

Son cœur s'accéléra en la voyant sortir de sa voiture.

Comme elle était belle dans son corsage fleuri et son jean étroit ! Ses cheveux flottaient sur ses épaules. Il avait envie de la prendre dans ses bras et de l'embrasser comme un fou.

Perdue dans de sombres pensées, la jeune femme ne remarqua pas tout de suite sa présence. Elle sursauta quand il se dressa devant elle.

— Shane, que fais-tu là ?

— Bonsoir. J'avais envie de te parler. Je crois qu'une petite discussion s'impose.

— Pourtant, tu ne m'as pas dit un mot dans l'avion…

— J'étais furieux que tu veuilles garder notre mariage secret. Mais depuis, j'ai réfléchi, ajouta-t-il précipitamment. Je me suis comporté comme un imbécile.

Il s'approcha et, comme elle ne s'écartait pas, il s'aventura à lui caresser les cheveux.

— Et tu m'as terriblement manqué, murmura-t-il d'un ton repentant. Je n'ai cessé de penser à toi, à nous. Je déteste nos disputes.

Il picora son cou de petits baisers.

— Je préfère largement faire l'amour avec toi.

— Oh, Shane ! soupira Mariah en secouant la tête.

Mais quand il l'enlaça et l'embrassa, elle ne se déroba pas.

— Montons, décida-t-il soudain.

Ils grimpèrent quatre à quatre les marches qui conduisaient à sa chambre. La lune jetait une douce lueur dans la pièce. Sans perdre de temps, il l'étreignit avec force.

— La nuit dernière, dans tes bras, j'avais l'impression d'être au paradis, murmura-t-il d'une voix rauque. Oh, ma chérie ! Dis-moi que tu m'aimes et que tu as envie de moi.

— Oh oui, Shane !

Mariah l'embrassa avec passion, caressant son torse sous sa chemise, et Shane arracha leurs vêtements avec frénésie.

Mais soudain, quelqu'un frappa à la porte.

— Qui est-ce ? s'enquit-elle.

— Mariah, c'est Nate. Je cherche Shane.

— Je suis là, répondit Shane. Un instant.

A la hâte, il se rhabilla.

Que pouvait bien lui vouloir son frère à cette heure-ci ?

Il ouvrit la porte tandis que Mariah se retirait discrètement dans la salle de bains.

— Nate, qu'y a-t-il ?

— J'ai deviné que tu étais là en voyant ton camion en bas.

— Il s'est passé quelque chose sur le chantier ?

— Oui. Quelqu'un a pris pour cible les fenêtres des maisons en construction. Elles sont toutes pulvérisées.

— Bon sang ! Quand ce cauchemar va-t-il finir ?

— Et lorsque les vigiles m'ont contacté, les vauriens étaient déjà loin. Allons-y, Roger et Jerry nous attendent.

Shane achevait de boutonner sa chemise quand Mariah apparut, tout habillée.

Ce n'était pas le moment d'échanger leurs impressions. Il la prit par la main, et ils descendirent en vitesse à la suite de Nate.

9.

Il leur fallut moins de dix minutes pour arriver au chantier dans la voiture de patrouille de Nate.

Avant même l'arrêt du véhicule, Shane ouvrit la portière et se rua vers les maisons en construction pour mesurer l'étendue des dégâts. Il tomba sur le gardien, Roger, en grande discussion avec le député Clark.

— Les avez-vous vus, au moins ? s'enquit Shane.

Roger secoua la tête.

— Désolé, Shane. Jerry et moi les avons poursuivis jusqu'au haut de la colline, mais quand nous avons atteint le sommet, ils avaient disparu. Nous avons entendu un camion démarrer et ils…

Shane n'en écouta pas plus.

— Bon sang ! explosa-t-il. Pourquoi s'amusent-ils à détruire ce que je me tue à bâtir ? Je ne comprends pas ! Ils n'ont même pas tenté de voler le matériel de valeur, ils se sont contentés de vandaliser les pavillons.

Excédé, il chercha le regard de Mariah. Elle était belle, il l'aimait, mais dans l'immédiat il avait besoin de sa force et de son soutien.

— Lorsque le jour se lèvera, observa-t-elle, Nate trouvera peut-être des indices.

Shane hocha la tête. Il aurait voulu coincer les crapules qui sabotaient son travail, mais il savait qu'il n'aboutirait à rien cette nuit.

— Allons évaluer les dommages, dit-il.

Main dans la main, ils se dirigèrent vers le chantier. Shane emprunta une torche à Roger et promena le faisceau lumineux sur les façades des bâtiments en construction. Bon sang ! Non contents d'avoir brisé toutes les vitres, les voyous avaient également démoli une partie des charpentes.

— Ce n'est pas vrai ! C'est la maison témoin ! Les décorateurs devaient venir à la fin de la semaine afin que les visites puissent commencer le mois prochain !

La frustration le ravageait. Le second pavillon était dans un état pire encore.

— Comment allons-nous réussir à changer les fenêtres à temps ? Elles étaient spéciales et nous avons dû patienter deux mois pour les avoir !

Mariah se rapprocha de lui.

— Je vais passer quelques coups de fil pour en trouver d'autres.

— A quoi bon ? Ils reviendront les casser ! Je ne peux pas continuer à tout remplacer. Tous les bénéfices vont être engloutis !

— Et l'assurance ?

— Il va falloir attendre l'expert, ce qui va nous retarder encore ! Nous perdons de l'argent. Mais que faire ? demanda-t-il à Nate. Comment arrêter ces enfoirés ?

— Pour commencer, garde ton sang-froid. Laisse la police s'occuper de l'affaire.

— Sans vouloir te vexer, jusqu'ici tu n'as abouti à rien.

Son frère se raidit.

Aussitôt, Shane regretta ses paroles.

— Pardonne-moi, Nate.

— Non, c'est moi qui suis désolé. J'aimerais envoyer une équipe faire des rondes régulières sur le chantier, mais je manque d'hommes. Il faut espérer que ces voyous vont commettre une erreur.

Des phares fendirent l'obscurité, et Kurt Easton sortit de la voiture.

— Il ne manquait plus que lui, gronda Shane entre ses dents.

Dès qu'elle vit son père, Mariah lâcha Shane pour se précipiter vers lui.

Sans même se donner la peine de les saluer, Easton prit la torche des mains de Shane et se tourna vers les maisons.

— Shérif, que comptez-vous faire ? s'enquit-il enfin.

— Rien ce soir. Demain, nous examinerons les environs en espérant que les vandales auront laissé des traces qui nous permettront de les confondre.

Easton regarda Shane.

— Vous êtes responsable de ces dégâts. Vous auriez dû vous focaliser sur le chantier au lieu de partir à Las Vegas.

A ces mots, Shane fut incapable de contenir sa fureur.

— Vous êtes content, n'est-ce pas ? Vous avez trouvé un prétexte pour m'accabler de reproches, alors vous jubilez !

L'autre haussa les épaules.

— Je n'y peux rien si vous n'êtes pas à la hauteur.

Nate s'interposa.

— Mesurez vos paroles, monsieur.

— Papa, ajouta Mariah. Ce n'est pas la faute de Shane si des petits voyous ont…

160

— Il n'a rien fait pour les empêcher de saccager ce site, la coupa-t-il.

— Comme si je n'avais pas essayé ! protesta Shane, tentant de maîtriser sa colère. J'ai embauché des vigiles supplémentaires, ils sillonnent l'endroit chaque nuit, j'ai installé des réverbères. Mais j'ai l'impression que ces bandits détiennent des informations, qu'ils connaissent les emplois du temps du personnel. Ils me devancent toujours, quoi que je fasse, ajouta-t-il. Comme si quelqu'un m'en voulait et souhaitait ma perte.

— Vous êtes le seul coupable, rétorqua Kurt.

— Je ne serais pas étonné que vous soyez mêlé à ce sabotage, Easton.

A ces mots, Mariah sursauta.

— Shane, papa ne ferait jamais une chose pareille ! Il a autant à perdre que toi.

Shane regarda tour à tour Kurt Easton et Mariah. La vue de sa femme aux côtés de son père pour s'opposer à lui lui serra le cœur.

— Pas autant que moi, corrigea-t-il.

Et en l'affirmant, il ne pensait pas uniquement au chantier.

Mariah vit le chagrin qui brillait dans les yeux de Shane. Elle savait qu'elle en était la cause. Comment choisir entre ces deux hommes qu'elle aimait ?

— Demain, nous aurons les idées plus claires et nous en discuterons, reprit-elle, tentant d'apaiser les esprits.

— J'ai dit tout ce que j'avais à dire, répliqua Shane en se dirigeant vers les bureaux.

Lorsqu'il eut le dos tourné, Mariah considéra son père avec dureté.

— Si tu étais à ce point inquiet pour la poursuite des travaux, tu le soutiendrais au lieu de l'accabler ! Quand j'ai accepté ce travail, je t'avais dit que je ne voulais pas d'histoires de ce genre.

— Je ne t'aurais jamais confié ce poste si j'avais deviné que tu t'acoquinerais avec ce Hunter.

Parce qu'il était malade, elle se mordit la lèvre pour ne pas lui jeter au visage tout ce qu'elle avait sur le cœur.

— Je n'ai aucun compte à te rendre sur ma vie privée, se contenta-t-elle de rétorquer.

Elle se précipita vers Shane.

— Shane, attends-moi, je voudrais te parler.

— Pourquoi ? Ta position est claire ! lui lança-t-il avec hargne, sans ralentir.

Elle l'attrapa et l'obligea à s'arrêter.

— Qu'espérais-tu ? Tu as accusé mon père de complicité avec les vandales !

— Qui d'autre m'en voudrait à ce point ? Qui

d'autre chercherait à humilier un Hunter ? Et il va réussir à me mettre à genoux. Regarde ça !

Elle considéra les maisons endommagées. Soudain, elle commençait à douter de l'innocence de Kurt Easton

— Papa n'irait jamais si loin, murmura-t-elle comme pour s'en convaincre.

— Pour nuire aux Hunter, il est capable de tout.

— Shane, il a beaucoup investi dans cette affaire.

— Moi aussi, Mariah. Notre avenir — si nous en avons un en commun, ce qui n'est pas certain — est lié à la réussite de ce chantier, tu le sais aussi bien que moi.

Le manque de confiance de Shane la heurta. Elle aurait dû y être habituée, il l'avait blessée auparavant. Mais manifestement, elle n'avait pas retenu la leçon. Comment envisager un futur avec lui, à présent ?

Soudain, son père l'appela. Quand elle se tourna vers lui, il était à moitié affalé sur la voiture, l'air épuisé.

— Je dois le reconduire à la maison.

Elle espérait que Shane s'excuserait pour ses

paroles peu amènes et la prendrait dans ses bras. Mais il la dévisagea d'un air froid.

— Nous nous sommes trompés, Mariah. Notre mariage ne mettra pas un terme à la vieille querelle qui oppose nos familles. Kurt ne m'acceptera jamais.

Quand son père la héla de nouveau, Shane s'écarta.

— Va le rejoindre, cela vaut mieux, ordonna-t-il sèchement.

Le cœur brisé, elle serra les lèvres.

— Au revoir, Shane.

Refoulant les larmes qui brûlaient ses paupières, elle se hâta vers son père.

Qu'allait-elle faire à présent ? Survivrait-elle à une deuxième rupture avec Shane ?

Le lendemain matin, Shane arriva tôt sur le site pour rencontrer Nate. Ils fouillèrent à fond l'endroit et découvrirent plusieurs douilles.

Nate les recueillit avec précaution dans l'espoir d'y trouver des empreintes.

— Nous aurons peut-être la chance d'en trouver, dit-il. Mais si ces vandales n'ont pas de casiers judiciaires, cela ne servira à rien.

— Je ne veux plus compter sur la chance, répliqua

Shane. Je vais m'installer dans la cabane de chantier jusqu'à la fin des travaux. Et je ne laisserai personne saboter mon travail ni me prendre ce qui m'appartient.

Il songeait autant à Mariah qu'au lotissement.

— Tu crois toujours que Kurt est derrière tout cela ?

— Il ne s'est certainement pas mouillé directement, mais il est capable d'avoir embauché des gars de la pègre pour me nuire. S'il s'agissait d'adolescents désœuvrés, ils se seraient lassés de ces jeux stupides, tu ne crois pas ?

— Sois prudent, Shane. Si ce sont des professionnels, tu cours un danger.

— Je tiens à les empêcher de détruire ce que je me donne tant de mal à bâtir.

— Oui, mais fais attention, insista Nate. Ce ne sont sans doute pas mes affaires, reprit-il après un instant, mais j'ai l'impression que les choses sont sérieuses entre toi et Mariah.

Assez sérieuses pour l'avoir épousée…

— Il y a vingt-quatre heures, je t'aurais répondu oui.

— Si tu as besoin d'en parler, je suis là.

— Merci, mais en discuter ne servirait à rien.

— Pour employer l'expression préférée de ma

chère épouse, tu t'exprimes comme un homme borné, répliqua Nate avec un sourire tout en s'en allant.

Shane regarda les pavillons vandalisés. Les ouvriers étaient déjà en train de réparer… au lieu de s'attaquer à la pose des tuiles comme prévu. Quelle perte de temps !

Avec un soupir, il promena les yeux sur le parking. La voiture de Mariah ne s'y trouvait pas.

Après tout ce qu'il lui avait dit la veille, il ne pouvait lui reprocher de ne pas se montrer aujourd'hui. Mais n'était-il pas légitime pour un mari de vivre avec sa femme ? Pourtant, il s'était comporté à son égard comme un moins que rien.

A l'intérieur de la cabane de chantier, il découvrit une enveloppe à son nom sur son bureau. Elle était de Mariah.

Il la déchira plus qu'il ne l'ouvrit.

« Shane,

» J'ai commandé de nouvelles fenêtres en remplacement de celles qui ont été saccagées. Le directeur commercial de la société contactée m'a promis de les livrer et de les installer d'ici trois semaines. J'ai déjà travaillé avec cette entreprise. Ses produits sont d'excellente qualité et les délais respectés. Si mon initiative te contrarie, tu as vingt-quatre heures pour l'annuler.

» Je ne vais pas revenir sur le site pendant quelque temps, mais ne t'inquiète pas, le travail sera fait. Je crois que nous avons tous les deux besoin de réfléchir à la situation pour décider de la suite. Merci de ne pas chercher à me joindre pour l'instant.

Mariah. »

Le cœur serré, Shane se laissa choir dans son fauteuil.

Comment en étaient-ils arrivés là ? Il voulait ce qu'il avait toujours voulu : Mariah. Mais pour un long moment sans doute, elle était hors d'atteinte.

Il se passa les mains sur le visage, se remémorant leur week-end à Las Vegas.

Mariah était devenue sa femme, ils avaient fait l'amour de manière torride. Pendant ces deux jours, il avait eu l'impression d'être au paradis.

Puis il repensa à la nuit précédente, revit les traits défaits de Mariah. Il n'avait jamais souhaité lui faire regretter de l'avoir épousé. Si pour se réconcilier avec elle il devait se répandre en plates excuses et lui donner du temps, il le ferait.

D'ailleurs, avant de songer à vivre avec Mariah, il devait montrer à Kurt qu'il était capable de gérer le chantier. Un sourire se dessina sur ses lèvres. Il imagina la tête de ce dernier lorsqu'il apprendrait qu'un Hunter était devenu son gendre.

Une semaine plus tard, Mariah et sa mère revenaient de faire du shopping. Après leurs emplettes, elles s'étaient attablées dans un coin du Café des Amis pour déjeuner.

Cheryl Easton était persuadée que dévaliser les magasins était le remède à tous les maux. Pour sa part, Mariah détestait le lèche-vitrine, comme le prouvait la simplicité de sa garde-robe, mais devant l'insistance maternelle elle avait accepté à contrecœur de faire l'acquisition de vêtements qu'elle ne porterait sans doute jamais. Quand en aurait-elle eu l'occasion ?

Pourtant, songeant à la robe d'été qu'elles avaient dénichée dans une petite boutique, elle ne pouvait s'empêcher de se demander si elle plairait à Shane. La trouverait-il sexy dedans ? Elle se rappelait la vitesse avec laquelle il lui avait arraché son tailleur rose le jour de leur mariage…

Avec un profond soupir, elle tenta d'écarter ces souvenirs torrides. Il était temps de se remettre au travail.

Grâce à Rod qui l'informait des allées et venues

de Shane, elle avait pu se rendre sur le chantier et s'occuper des dossiers. Elle s'arrangeait pour éviter Shane, n'ayant vraiment aucune envie de discuter avec lui. Pourtant, quelque part, elle avait faim de lui, de ses baisers, de ses caresses. Et même si elle lui avait demandé de ne pas chercher à la joindre, elle priait qu'il lui désobéisse.

Mais il ne l'avait pas appelée.

Les larmes lui brûlèrent les paupières, tandis qu'une douleur familière s'emparait de son cœur.

Shane lui avait fait comprendre qu'elle ne méritait pas qu'on se batte pour elle. Tout était fini entre eux. Pourquoi avait-il fallu qu'elle tombe amoureuse de lui ? Pourquoi était-elle partie avec lui à Las Vegas ? Pourquoi l'avait-elle laissé lui faire l'amour ? Cela avait-il signifié quelque chose pour lui ? Avait-elle de l'importance pour lui ?

Un sanglot lui monta à la gorge.

— Es-tu contente de nos achats ? s'enquit sa mère, la tirant de sa rêverie.

Discrètement, Mariah s'essuya les yeux.

— Oui, c'était sympa.

— Nous n'avions pas fait les magasins toutes les deux depuis une éternité. Et j'espérais te sortir un

169

peu de tes idées noires, ajouta-t-elle en lui prenant la main.

— Mais tu ne peux pas forcer papa à accepter les Hunter.

Sa mère soupira.

— Chérie, pendant des années j'ai tenté de le faire. Je sais que cette histoire ridicule lui a miné le moral et la santé. Et maintenant, elle t'atteint, toi. Tu es toujours amoureuse de Shane, n'est-ce pas ?

Incapable de le nier, Mariah hocha la tête.

— Oui, mais papa et Shane se détestent. Comment choisir entre eux deux ?

— Tu y seras peut-être obligée. Autrefois, je devinais tes sentiments pour Shane, mais je t'estimais trop jeune pour t'engager avec qui que ce soit. Et quand il a rompu, te voir souffrir à ce point me rendait malade. Je me suis donc réjouie que tu décides de faire tes études au loin. J'espérais que tu l'oublierais et que tu rencontrerais un autre garçon. Mais apparemment, ça n'a pas été le cas.

— Oh, maman, que vais-je faire ? J'étais folle de penser que je pouvais revenir ici et travailler avec Shane comme si rien ne s'était passé entre nous. C'est trop douloureux.

— Chérie, je voudrais pouvoir te répondre. Crois-moi, après avoir vécu des années avec ton père, tout ce que je peux dire c'est qu'il faut prendre le bon et le mauvais chez un homme.

— J'aime Shane, mais je suis malheureuse.

— Et je parie qu'il l'est autant que toi. Ne t'inquiète pas. Si votre amour est véritable, rien ne pourra l'empêcher.

Mariah soupira. Elle espérait que sa mère avait raison, mais elle en doutait quelque part.

Shane entra dans le café et s'installa au comptoir.

Il n'avait pas faim, mais sa mère le menaçait de le renvoyer de chez elle s'il ne se nourrissait pas convenablement, et elle lui avait donné rendez-vous.

La foule était moins dense que d'habitude, et il s'en félicita. Il n'était pas d'humeur à faire des rencontres. Il rêvait de rentrer chez lui et de dormir deux jours entiers comme une souche.

Manifestement, cela ne se produirait pas avant la fin du chantier, à moins que les vandales ne soient arrêtés. Alors tout reviendrait à la normale. En théorie. Mais au fond, il savait que sa vie ne redeviendrait jamais normale.

Il se tournait vers la porte en quête de la silhouette de sa mère quand une chevelure auburn capta son attention : stupéfait, il reconnut Mariah en train de déjeuner avec sa propre mère dans un coin du restaurant.

A la dérobée, il contempla sa peau claire et soyeuse, sa magnifique chevelure. Il se remémora ses boucles étalées sur l'oreiller tandis qu'il lui faisait l'amour. A la vue de ses lèvres, il se rendit compte à quel point il avait envie de l'embrasser.

Comme si Mariah sentait son regard sur elle, elle leva soudain ses yeux de chatte sur lui.

L'estomac de Shane se tordit. Elle lui manquait tant ! Et comme par un fait exprès, leur chanson préférée passait alors sur le juke-box.

C'est aussi le moment que choisit Betty pour apparaître.

— Bonjour, Shane. Je suis contente que tu aies suivi mes conseils

Il se leva pour lui offrir son tabouret.

— Tu ne m'as pas laissé le choix, dit-il.

— Il faut bien que quelqu'un veille sur toi.

Il lui sourit avec affection.

Betty Hunter était une femme séduisante et courageuse. Son existence n'avait pas été semée que de roses. Après la mort de son mari à quarante

172

ans, elle avait perdu sa maison et avait dû reprendre l'enseignement pour nourrir sa famille. Elever deux garçons turbulents et une fille à la forte personnalité n'avait pas été de tout repos, mais elle avait toujours affronté les épreuves sans se plaindre.

Non seulement Shane aimait sa mère, mais il l'admirait beaucoup.

— C'est agréable de savoir que tu te soucies encore de moi, laissa-t-il échapper. Même si je rate tout ce que j'entreprends.

A ces mots, Betty leva un sourcil étonné.

— Que signifie cette auto-flagellation ? Si j'avais su, j'aurais apporté mon violon.

— Ne me cherche pas, maman, la semaine a été dure.

— Elle n'a pas été facile pour moi non plus. Veux-tu que nous comparions ?

Avec un petit sourire, il secoua la tête.

— Inutile, tu gagnerais.

— C'est vrai. Mais j'ai eu aussi beaucoup de bonheur dans ma vie, à commencer par mes enfants. Tu as bien mené ta barque, Shane. Ton père serait fier de toi. Alors ne te laisse pas abattre par quelqu'un.

Elle ne précisa pas le nom de Kurt Easton. C'était inutile.

— Mais il a les moyens de me briser, maman.

— Résiste, Shane. Tu as réalisé un excellent travail, et les autres investisseurs le savent.

La serveuse apparut et nota leur commande. Quand elle s'éloigna, Shane reprit la parole.

— A cause de ces vandales, je perds de l'argent sur ce chantier. Je n'ai pas les moyens d'engager plus de vigiles.

— Et voilà pourquoi tu passes tes nuits là-bas ! Mais si tu ne dors plus, tu ne parviendras plus à travailler correctement. Que pense Mariah de cette situation ?

Shane détourna les yeux.

Sa mère lisait trop facilement dans son esprit.

— Ces jours-ci, elle reste au chevet de son père.

— J'ai comme l'impression que Kurt se sert de sa maladie pour l'empêcher de te voir. Peut-être pourrais-je faire quelque chose ?

— Maman, c'est inutile. Nous sommes actuellement en froid, elle et moi.

— Tu as donc laissé Kurt s'interposer, vous séparer…

— Je n'ai rien eu à dire.

Sa mère ne parut pas convaincue.

— Depuis quand renonces-tu aussi facilement

à quelque chose ? Tu es d'un caractère entier, comme ton père. Quand tu désires plus que tout quelque chose, tu as toujours su l'obtenir. N'as-tu pas vraiment envie d'avoir Mariah ?

Shane poussa un énorme soupir.

— Ce n'est pas la question ! Mais je ne crois pas qu'un Hunter et une Easton puissent être ensemble.

Sam surgit alors. En souriant, il salua Betty.

— Bonjour, toi. Comment vas-tu ?

— Mon fils est têtu comme une mule, répond-it-elle avec emportement. Quelle pitié ! Bon, je préfère partir avant de sortir de mes gonds. A plus tard, Sam.

Comme elle quittait le restaurant en coup de vent, Shane fronça les sourcils.

— Qu'est-ce qui lui prend ? demanda-t-il.

— Est-ce que je sais ? Les femmes ont une part de mystère qu'elles aiment préserver, observa Sam en souriant. Cela fait partie de leur charme.

Shane hocha la tête et chercha des yeux Mariah. Lorsqu'il vit qu'elle le regardait de biais, son cœur s'accéléra dans sa poitrine.

Bon sang ! Il mourait d'envie de se précipiter vers elle, de la prendre dans ses bras, de lui promettre tout ce qu'elle voudrait.

Mais il ne le pouvait pas. Pas encore. Avant d'envisager un avenir avec elle, il lui fallait d'abord régler les problèmes du chantier.

10.

Une autre semaine s'écoula, et le chagrin de Mariah ne cessait d'empirer.

Ses relations avec son père devenant extrêmement tendues, elle résolut de revenir vivre dans sa petite chambre au-dessus du Café des Amis.

Kurt ne pouvait donc plus l'ennuyer, mais Shane lui manquait terriblement. Les nuits surtout étaient difficiles. Le sommeil la fuyait. Comment aurait-elle pu dormir, alors que les souvenirs de Shane la hantaient ? Elle se remémorait en permanence leur nuit de noces à las Vegas. Et lorsqu'elle parvenait enfin à s'assoupir, elle rêvait de lui…

Elle ne s'était jamais sentie aussi seule de sa vie.

Alors qu'elle pleurait tout en travaillant sur son lit, elle entendit quelqu'un frapper à sa porte.

Elle jeta un coup d'œil à son reflet dans son miroir et gémit : avec ses yeux cernés, son teint blafard et ses traits tirés, elle avait vraiment une tête impossible !

Quand elle ouvrit, elle découvrit avec surprise Tori Hunter. La jeune femme était charmante, les cheveux noués en queue-de-cheval, vêtue d'un T-shirt rose et d'un jean taille basse qui laissait voir son petit ventre rond.

— Salut, Mariah. Ne trouves-tu pas insupportables les gens qui passent à l'improviste ?

— Pas du tout, mais je ne m'attendais pas à…

Avec un sourire timide, Tori lui tendit une boîte de gâteaux.

— J'ai acheté des cookies au chocolat et j'ai eu envie de les partager avec toi.

— Merci ! Entre et ne fais pas attention au désordre. J'étais en train de travailler.

— Cette chambre me rappelle de bons souvenirs ! s'exclama la future mère en promenant les yeux autour d'elle. Quand je suis arrivée la première fois dans cette ville, Nate avait demandé à Sam de m'héberger ici.

Mariah retira les feuilles de papier qui jonchaient le lit.

— Sam est vraiment un chic type. Tiens, installe-toi là. Je te proposerais bien un café, mais dans ton état…

— J'avoue que mes gâteaux n'étaient qu'un prétexte. Je voulais te parler.

— Tu n'as pas besoin d'une excuse pour me rendre visite, Tori.

— Tu changeras peut-être d'avis quand tu auras entendu ce que j'aimerais te dire.

Elle prit une profonde inspiration.

— En général, je déteste me mêler des amours des autres, mais je ne peux pas rester les bras ballants à regarder se déchirer deux êtres que je sais destinés l'un à l'autre. J'ai beaucoup d'affection pour Shane et je le sens malheureux. Et je crois que tu en es la cause.

A ces mots, Mariah se raidit.

— Je n'ai jamais eu l'intention de…

— J'en suis certaine, et par ailleurs Nate m'a déconseillé de venir te trouver.

— Pardonne-moi, Tori, mais je suis incapable de parler de Shane pour le moment.

— Je comprends. Mais moi, je tiens à te raconter quelque chose. Pendant la plus grande partie de ma vie, j'ai laissé mon père me manipuler comme une marionnette. J'avais tellement envie qu'il m'aime que j'aurais fait n'importe quoi pour lui faire plaisir. Et à la fin, cela a failli me coûter Nate, ajouta-t-elle, les yeux pleins de larmes. Mais à présent, je n'ai plus besoin de mendier pour obtenir un peu de tendresse. Nate me donne tout son amour. Shane aussi est amoureux de toi, Mariah, j'en suis sûre. Et je crois que tu partages ses sentiments. La vieille querelle qui oppose vos familles creuse un fossé entre vous, et je suis bien placée pour savoir à quel point elle affecte les Hunter.

— Ce n'est pas le seul problème, Tori. Nous avons un passé, Shane et moi. Au lycée, nous sortions ensemble mais nous avions finalement rompu. Et l'histoire se répète. Il nous est impossible de…

— Parce que tu laisses ton père interférer dans votre relation ! la coupa Tori.

Mariah se cacha le visage entre les mains.

Tori n'avait pas tort. Depuis toujours elle était déchirée entre les deux hommes.

— Nous nous sommes dit des choses horribles, Shane et moi, murmura-t-elle. Il pense que nous avons fait une erreur.

— Une erreur ?

Incapable de se maîtriser, elle explosa en sanglots.

— Nous nous sommes mariés à Las Vegas.

A ces mots, Tori ouvrit des yeux ronds, mais très vite un grand sourire éclaira son visage.

180

— Vous êtes mari et femme depuis deux semaines, et personne n'est au courant ?

— Depuis deux semaines et cinq jours, oui. Mais nous ne vivons pas ensemble. J'ai demandé à Shane de garder notre union secrète tant que papa serait malade. Et puis, l'autre soir, lorsque le chantier a de nouveau été vandalisé, tous deux se sont agressés verbalement. J'ai tenté de les calmer, mais je n'ai réussi qu'à envenimer la situation.

— Et depuis, Shane dort là-bas, et toi tu es malheureuse. Je connais le scénario. Le jour où Nate a racheté le ranch, nous avons eu une grosse dispute. J'étais retournée à San Francisco parce que je croyais qu'il ne m'aimait pas. Une fois de plus, j'avais laissé mon père nous séparer. Ensuite, grâce à Dieu, j'ai recouvré mon bon sens. Et de toute façon, Nate est venu me chercher.

Mariah hocha la tête. Elle avait espéré aussi que Shane essayerait de se réconcilier avec elle. Mais en vain.

— Shane ne peut rien faire, Tori. Papa a menacé de le renvoyer.

— A mon avis, Shane se moque bien de Kurt Easton. Mais il hésite sans doute à aller plus loin parce qu'il n'a pas pour l'instant la possibilité de te faire vivre décemment. Nate non plus ne voulait pas me demander ma main tant qu'il n'avait rien à m'offrir. Et de même, Shane attend de réussir son chantier.

— Et il va y arriver. Contrairement à mon père, je connais ses capacités. Mais j'aurais dû rester avec lui. A présent, il pense que je suis contre lui, alors que j'essayais seulement de les encourager à faire la paix.

— Mais pourquoi ne lui expliques-tu pas tout cela ?

— Maintenant ?

— Plus le temps passe, plus les choses vont se compliquer entre vous. Je te garantis que Shane ne te tournera pas le dos.

Soudain tout excitée, Mariah se leva. Mais soudain un étourdissement la saisit, et elle s'écroula sur le lit avec un gémissement.

Tori se précipita sur elle.

— Qu'y a-t-il ? Allonge-toi. Je vais te chercher de l'eau.

Une terrible nausée lui soulevait le cœur, mais lorsque Tori lui passa un gant de toilette humide sur le visage, elle se sentit mieux.

Tori lui sourit d'un air entendu.

— A mon avis, ces petits malaises vont se reproduire pendant quelques semaines… Shane sait-il que tu es enceinte ?

— Tu t'es marié ? s'écria Nate en considérant son frère d'un air incrédule.

Shane cessa d'arpenter la cabane de chantier. Depuis deux semaines, il était comme un lion en cage. Il ne dormait pratiquement pas, s'alimentait à peine. L'envie de casser la figure au responsable de tous ses malheurs le torturait. Comme son frère était passé le voir, il avait craqué et lui avait avoué tout ce qu'il ruminait en silence depuis Las Vegas.

— Ne m'as-tu pas entendu ? Oui, j'ai épousé Mariah à Las Vegas.

Le dire à haute voix lui faisait du bien. Cela donnait de la réalité à ce mariage qui ne se concrétisait en rien dans les faits, puisque Mariah vivait chez ses parents et lui sur le chantier.

— Mais alors, pourquoi n'es-tu pas avec elle ?

— Parce que Mariah ne le souhaite pas.

— Elle te l'a dit ?

— Pas en ces termes, mais l'intention était claire.

Nate secoua la tête.

— Avec Tori, j'ai appris que les femmes n'expriment

pas toujours ce qu'elles veulent. La plupart du temps, elles attendent que tu viennes les chercher.

— Si je me pointe chez les Easton, Kurt sera trop content de me jeter dehors. Il n'en est pas question. A propos de Tori, pourquoi l'as-tu laissée en pleine nuit alors qu'elle est enceinte ?

— Elle est avec maman, voilà pourquoi je suis venu te donner un coup de main. Mais je ne m'attendais pas à ces révélations. Ecoute, frérot, tu dois absolument discuter avec Mariah. Et sans attendre !

Depuis leur retour à Haven, Shane pensait chaque soir aller la retrouver. Mais la dernière fois que le site avait été vandalisé, ils avaient échangé des propos terribles, irréparables.

— Tout est arrivé si vite.

— Tu ne l'aimes pas ?

— Mais si, je l'aime ! Je ne savais pas à quel point avant…

Il se remémora leur nuit de noces et gémit.

— Avant qu'elle ne parte. J'ai besoin d'elle.

— Alors pourquoi ne lui as-tu pas au moins passé un coup de fil ?

— Oh, cesse de jouer les conseillers conjugaux ! Je te rappelle qu'à une époque, Tori t'avait plaqué et était retournée chez elle à San Francisco.

— J'essaie justement de t'empêcher de commettre la même erreur.

Désespéré, Shane se passa la main dans les cheveux.

— Je n'ai aucun moyen d'agir ! Easton est en permanence sur mon dos et il pousse Mariah contre moi. Et je ne peux rien y faire !

— Mariah n'est pas contre toi, mais elle aime son père. Tori a vécu la même chose. Elle se laissait manipuler dans l'espoir qu'il finirait par l'aimer. Mariah aussi devra choisir. Et à présent, elle est devenue une Hunter.

— Mais pour combien de temps ?

Nate sourit.

— Il n'y a qu'à voir la manière dont elle te regarde. Je ne pense pas que ses sentiments aient changé depuis le lycée. Mais tu dois la rassurer, la convaincre de ton amour.

Comme Shane détournait les yeux, Nate insista.

— Tu lui as quand même avoué tes sentiments pour elle, non ?

La sonnerie du portable de Shane l'empêcha de répondre.

— Shane, m'entendez-vous ?

— Oui, Jerry. Que se passe-t-il ?

— Il y a du mouvement sur le chantier. Roger est parti voir.

— Ne bougez pas, Jerry. Nous arrivons.

Nate sur les talons, Shane se précipita vers la porte.

— Cette fois-ci, ils ne m'échapperont pas, se jura-t-il, en proie à une rage froide.

— Je vais t'aider, mais promets-moi de ne pas faire l'imbécile. Si tu te retrouves avec un procès sur le dos, tu ne seras pas avancé. Tu me laisseras agir, d'accord ?

Shane hocha la tête. Il mourait d'envie de casser la figure des vandales qui sabotaient son travail depuis des semaines mais savait que la violence ne résoudrait rien.

— Promis.

A la hâte, ils rejoignirent les vigiles, veillant à rester dans l'ombre pour ne pas se faire repérer. Finalement, ils retrouvèrent Jerry.

— D'après Roger qui le surveille, il n'y en a qu'un. Il est à l'intérieur de la maison témoin en train de couvrir les murs de graffitis.

— Encerclez tous les trois le bâtiment, ordonna Nate.

Puis il prit le bras de Shane.

186

— Etant shérif, c'est à moi d'interpeller ce type. Il est peut-être armé.

Shane sentait son cœur battre à grands coups dans sa poitrine.

— L'important est de réussir à le coincer. Allons-y.

En silence, ils s'approchèrent du pavillon en construction et se mirent en position. Nate dégaina son revolver et entra à pas de loup.

Shane, embusqué sur le côté de la maison, l'entendit crier d'une voix ferme.

— Ici le shérif Hunter ! Haut les mains !

Un instant il ne se passa rien, puis très vite il vit une mince silhouette sauter par une fenêtre pour se ruer vers les collines.

Il se lança aussitôt à sa poursuite.

— Je t'aurai, murmura-t-il.

Le gamin était rapide, mais Shane connaissait les lieux, et l'indicible colère qui l'habitait lui donnait des ailes. Et la certitude qu'il ne parviendrait pas à venir à bout de ce chantier si ce voyou continuait à saboter son travail décuplait son énergie. Coûte que coûte, il lui fallait mettre ce vandale hors d'état de nuire. Sous la pâle lueur de la lune, il courait comme un dératé. Sa proie n'était plus qu'à quelques mètres, il allait l'attraper, il le tenait.

Redoublant d'effort, il accéléra et parvint à la hauteur du garçon. Avec un cri de victoire, il se jeta sur lui. Tous deux roulèrent sur le sol. L'autre se débattait comme un beau diable, lui envoyant des coups de poing et de pied, mais Shane était plus lourd que lui et finit par le maîtriser. C'est alors que Nate et un des vigiles arrivèrent à sa rescousse.

Tandis que Shane plaquait l'adolescent contre le sol, Nate lui passa les menottes.

— Vous avez le droit de garder le silence. Tout ce que vous direz désormais pourra être retenu contre vous, commença-t-il à réciter.

Incapable d'attendre plus longtemps pour démasquer le sale type qui lui causait tant de problèmes, Shane lui arracha sa cagoule.

Stupéfait, il reconnut alors Rich Easton.

— Bon sang !

— Quand mon père apprendra la manière dont vous me traitez, il vous retirera votre étoile de shérif, aboya l'adolescent.

Nate haussa les épaules.

— Cela m'est égal, je suis à quelques mois de la retraite. Dans l'immédiat, c'est toi qui m'intéresses. Mesures-tu la gravité de ce que tu as causé ?

— Je m'en moque, lança le gamin d'un air buté. Papa arrangera tout.

Il était 6 heures lorsque Mariah se gara devant la cabane de chantier. Elle ne savait pas encore si elle serait capable de faire face à Shane et de lui annoncer la nouvelle.

La veille, encouragée par Tori, elle avait effectué un test de grossesse. Le résultat était positif.

Le premier choc passé, elle s'était rendu compte qu'elle tenait à porter l'enfant de Shane. Et elle espérait vivre heureuse avec lui le reste de sa vie...

Mais qu'adviendrait-il s'il voulait mettre un terme à leur mariage ?

Elle repoussa ces sombres pensées. Shane l'avait appelée et avait demandé à la voir. C'était bon signe, non ?

Mais lorsqu'elle aperçut le véhicule de police, elle fronça les sourcils. Que faisait Nate ici à cette heure matinale ?

Comme elle grimpait les marches, elle repéra également la voiture de son père.

— Oh non, pas ce matin !

Elle n'avait pas envie de voir Shane et son père se disputer encore.

— Papa, que fais-tu ici ?

— C'est ce que j'aimerais savoir, lui dit-il en la

rejoignant. Je vais m'arranger pour virer ce Hunter sans tarder.

— Peut-être devrais-tu attendre d'avoir entendu ce qu'il a à nous dire ?

— Tu ferais mieux de mettre une croix sur ce type. Il n'a aucun avenir.

— Ce sont mes affaires, riposta-t-elle.

Avec un gros soupir, elle ouvrit la porte.

Shane était assis à son bureau. Il avait l'air fatigué, ses vêtements étaient chiffonnés et il ne s'était pas rasé. Pourtant, il ne lui avait jamais paru plus séduisant.

— Mariah, murmura-t-il.

Elle eut envie de se jeter à son cou.

— Shane. Quel est le problème ?

Comme elle promenait les yeux dans la pièce, elle eut un choc en voyant son frère assis à côté de Nate, menottes aux poings.

Son père entra à son tour.

— J'espère que vous avez une bonne raison pour m'avoir fait venir de si bonne heure, Hunter.

Nate se leva.

— C'est moi qui ai demandé à Shane de vous appeler.

C'est alors que Easton aperçut son fils.

— Rich ? Que fais-tu ici ?

Il ne lui fallut pas longtemps pour remarquer que l'adolescent avait les poignets menottés.

— Qu'est-ce que ça signifie ? Shérif, vous feriez mieux de m'expliquer très vite ce…

— Votre fils est apparemment l'auteur des actes de vandalisme perpétrés sur le site.

De fureur, le visage de Kurt Easton devint blême.

— C'est impossible ! Je ne vous permets pas d'insinuer que…

— Nous l'avons interpellé vers 3 heures du matin alors qu'il noircissait de graffitis les murs d'une des maisons en construction, reprit Nate.

La colère de Easton n'avait plus de limites mais, sans se laisser impressionner par ses hurlements, Nate poursuivit.

— Jerry et Roger, les vigiles, étaient présents, ainsi que Shane et moi. Ils viennent de signer leurs dépositions.

Mariah avait l'impression d'être en plein cauchemar. Elle reporta son attention sur son frère.

— Pourquoi, fils ? gronda Kurt. Pourquoi as-tu fait cela ?

Relevant les épaules, Rich planta ses yeux dans ceux de leur père.

— Pour nous venger, papa. Pour faire payer aux

Hunter le mal qu'ils nous ont fait. Tu es fier de moi, hein ? Ils en ont bien bavé !

Soudain, Mariah se sentit mal et se laissa tomber sur une chaise.

Aussitôt, Shane se précipita à ses côtés.

— Ça ne va pas ?

Elle n'osa le regarder en face, craignant de voir le dégoût briller dans ses yeux. Un autre Easton avait tenté de lui nuire !

— Je suis désolée, Shane.

En proie à une vague de nausées, elle se précipita dehors dans l'espoir que l'air frais lui ferait du bien. Les mains sur son estomac, elle se félicita de n'avoir pas pris de petit déjeuner. Elle ne savait plus si son malaise était provoqué par sa grossesse ou par les crimes de son frère.

Shane courut derrière elle.

— Mariah, ne te reproche rien ! Tu n'as rien à voir avec cette histoire.

Ravagée, elle secoua la tête.

— Quelle importance ? Mon père a transmis à mon frère la haine qu'il nourrit depuis toujours contre vous. Et Rich croyait bien faire en vandalisant le site ! C'est horrible ! Pourquoi n'ai-je pas compris plus tôt où tout cela nous mènerait ?

— Parce que tu voyais ton cadet comme un

adolescent qui tient de grands discours sans songer sérieusement à les mettre en pratique.

Comme il se rapprochait, elle se surprit à souhaiter qu'il la prenne dans ses bras. Elle en mourait d'envie.

— Rich devra assumer les conséquences de ses actes, reprit Shane.

— Ce n'est qu'un gamin, Shane. Je ne peux pas le laisser tomber. Il y a des années, je suis partie parce que je ne supportais plus l'alcoolisme de mon père ni ses rêves de vengeance. Si j'étais restée, Rich aurait sans doute moins mal tourné.

La porte de la cabane de chantier s'ouvrit alors, et Nate sortit avec l'adolescent, son père sur leurs talons.

— Mariah, ta famille a besoin de toi, ordonna-t-il.

Elle hocha la tête.

— Je dois y aller, Shane. Pour Rich…

Les mâchoires serrées, Shane la retint par le bras.

— Mariah, tu es ma femme à présent. Je veux vivre avec toi.

Les larmes lui brûlèrent les paupières. Elle avait tellement honte de ce que les siens avaient fait subir aux Hunter.

— Je ne peux pas, murmura-t-elle. Rich a eu tort, mais je suis sa sœur. Il faut que je l'aide.

Shane resta silencieux. Elle pria pour qu'il n'insiste pas. Elle se sentait si fragile qu'elle aurait été incapable de refuser une deuxième fois de le suivre.

Finalement, il reprit la parole.

— Bon sang, je donnerais tout pour que Rich ne soit pas impliqué dans cette histoire ! Cela simplifierait grandement la situation. Mais sache, Mariah, que cela ne change rien à ce que j'éprouve pour toi.

Et pour donner plus de poids à ses paroles, il l'enlaça et l'embrassa, comme si ce baiser était la seule chose qui lui importait.

— Je t'en prie, Shane, je dois y aller.

En s'éloignant le cœur brisé, elle l'entendit lui lancer une dernière phrase :

— Je ne renonce pas, Mariah. Je t'aime. Et je pèse mes mots.

11.

A 8 heures du matin, Shane se rendit chez le shérif. Saluant d'un hochement de tête le planton, il se dirigea vers le bureau de son frère.

— Tu n'avais pas besoin de venir si tôt, lui dit ce dernier. Tu aurais mieux fait de te reposer un peu.

Nate paraissait aussi fatigué que lui.

— Je parie que tu n'as pas dormi non plus.

— Je devais m'occuper du prisonnier.

— Rich est-il toujours derrière les barreaux ?

— Non. Après en avoir discuté avec son père, le juge a accepté de le libérer sous caution. Mais Rich devra évidemment répondre de ses actes devant la justice.

Shane secoua la tête. S'il se félicitait que tout soit fini, il n'oubliait pas pour autant que Rich était le frère de Mariah.

— Je vais m'arranger pour minimiser les dégâts

causés, afin qu'il ne soit pas trop lourdement condamné.

— A présent, cette affaire n'est plus de ton ressort. Il a quand même mis le feu à l'entrepôt.

— Comme c'est la première fois qu'il commet un écart, il bénéficiera sans doute de l'indulgence du juge.

— Faut-il le souhaiter ? Je sais que tu es marié à Mariah, mais laisser le gosse s'en tirer à bon compte n'est peut-être pas...

— Il n'est pas question de passer l'éponge, rassure-toi. Il devra me rembourser en travaillant sur le chantier tout l'été. Et je le ferai trimer, crois-moi.

— Cela ne va pas favoriser tes relations avec ton beau-frère...

— Peut-être pas, mais cela lui fera du bien.

Avant que Nate puisse répondre, Tori frappa à la porte et entra.

— Quelqu'un a-t-il aperçu mon mari ? Un grand brun très séduisant...

Avec un petit rire, Nate la prit dans ses bras et l'embrassa.

A la vue du couple tendrement enlacé, une pointe d'envie traversa Shane. Il rêvait de partager la même complicité avec Mariah. Malgré les doutes qui l'assaillaient, il était déterminé à ne pas la perdre.

— Je dois y aller, annonça-t-il en se levant.

— En fait, c'était toi que je venais voir, intervint Tori.

A une époque, Shane avait été très attiré par sa belle-sœur. Mais quand Nate avait revendiqué ses droits, il s'était écarté. A présent, il l'aimait comme une sœur et souhaitait que son frère soit heureux avec elle. Mais, ne voulant pas rater une si belle occasion d'asticoter Nate, il s'empressa d'enlacer Tori avec effusion.

— Tu vois, Nate, c'est moi qu'elle préfère. Je te l'ai toujours dit.

— Va retrouver ta femme, rétorqua ce dernier.

— Oui, renchérit Tori. Mariah t'aime.

A ces mots, le cœur de Shane s'emballa.

— Elle te l'a dit ?

— Oui, je suis passée la voir hier. Les méfaits de son frère la rendent malade. Elle a vraiment besoin de toi.

— Je sais, je vais faire quelque chose. Mais d'abord, je…

La porte s'ouvrit soudain, et Betty Hunter fit son apparition.

— Ah, Shane, tu es là ! Je viens du chantier, mais Rod m'a appris que tu étais ici.

— Qu'y a-t-il, maman ?

— Nate m'a appris que Rich était l'auteur des actes de vandalisme, dit-elle d'un ton soucieux. Pauvre Mariah ! En as-tu parlé avec elle ?

Avec un soupir, Shane secoua la tête. Comment l'aurait-il pu ? La famille de la jeune femme l'avait tout de suite happée !

— Elle se reproche de ne pas avoir été assez présente pour Rich. Elle pense que si elle l'avait davantage entouré, il n'aurait pas si mal tourné.

— C'est ridicule ! Kurt est le seul à blâmer. Il a été un très mauvais exemple pour son fils. Ce garçon a besoin d'une influence masculine positive.

— Shane va pouvoir jouer ce rôle, intervint Nate. Il veut contraindre le gosse à travailler sur le chantier.

A ces mots, le visage de sa mère s'éclaira.

— Oh, Shane, quelle merveilleuse idée !

— Ne commence pas à t'emballer. Il me faut d'abord en discuter avec Kurt.

Et ce n'était pas le seul sujet qu'il comptait aborder avec Easton.

— Il l'acceptera, assura Betty avec un grand sourire. Et cela vous donnera une chance de vous réconcilier, Mariah et toi. Tous les couples traversent des périodes difficiles et le mariage ne garantit pas de…

198

Shane regarda sa mère.

— Comment savais-tu que Mariah et moi étions mariés ?

— Je n'ai rien dit ! s'exclama Nate en levant les mains.

Stupéfaite, Tori dévisagea son mari.

— Nate ! Tu étais au courant ? Depuis quand ?

— Depuis cette nuit.

Un peu gênée, Tori se tourna vers Shane.

— Mariah m'en a parlé hier matin. J'en ai touché un mot à ta mère parce que j'avais besoin de conseils.

Shane poussa un gros soupir.

— Puisque tout le monde semble au courant, quelqu'un pourrait-il me dire ce que je devrais faire ?

— Va trouver Mariah et ouvre-lui ton cœur, déclara sa mère.

Mais avant de déclarer sa flamme à la jeune femme, il devait s'entretenir sérieusement avec Kurt Easton.

Avec un regain de courage, il se dirigea vers la porte.

— Tu vas voir Mariah ? s'enquit Betty.

— Je dois d'abord régler définitivement une vieille querelle.

Au volant de son camion, Shane grimpa la colline en haut de laquelle se dressait la somptueuse maison des Easton.

Il n'y était venu qu'une fois, des années auparavant. A l'époque, il se sentait impressionné et un peu apeuré, mais à présent il était déterminé à mettre Kurt Easton face à ses responsabilités. Mais l'issue de leur discussion déterminerait son avenir. Une fois de plus, Kurt Easton tenait son sort entre ses mains.

Shane passa les grilles en fer forgé et se gara devant le perron. Quand il sonna à la porte, Cheryl Easton vint lui ouvrir et parut surprise de le voir.

— Bonjour, madame. J'aimerais parler à votre mari.

A ces mots, elle fronça les sourcils

— Cela ne me semble pas une bonne idée, Shane. Toute la famille est bouleversée par cette histoire, et…

— Je n'ai pas l'intention de compliquer la situation, mais au contraire de tenter d'arranger les choses.

A contrecœur, elle le laissa entrer.

— Asseyez-vous, dit-elle en l'introduisant dans le salon. Je vais chercher mon mari.

200

Shane contempla la somptueuse pièce décorée avec goût.

— Mariah est-elle là ? s'enquit-il.

— Elle dort.

— Tant mieux, elle a besoin de se reposer.

Même s'il brûlait de voir sa femme, il voulait d'abord régler les problèmes avec Kurt.

Quand Cheryl quitta la pièce, il respira profondément, essayant de se calmer.

Easton l'accepterait très difficilement comme gendre, il le savait. Mais il ferait tout pour cela.

— Si vous êtes venu vous réjouir de mes malheurs, vous feriez mieux de partir, gronda une voix furieuse derrière lui.

Shane se tourna vers Kurt. Même s'il ne faisait pas son âge, il paraissait vieux et fatigué ce matin.

— Je suis ici parce que les travaux ont besoin d'être finis en temps et en heure.

— Je me moque du chantier. J'ai d'autres soucis en tête.

— Moi pas. Si les maisons de ce lotissement ne sont pas livrées à la date prévue, je n'aurai plus qu'à mettre la clé sous la porte. Il nous faut unir nos efforts ou nous ne parviendrons à rien. Alors, pour commencer, j'ai décidé de ne pas porter plainte contre Rich.

201

Kurt planta ses yeux dans les siens.

— Que voulez-vous dire ?

— Il devra sans doute rendre des comptes à la justice, mais il est jeune et c'est sa première incartade. Je lui demande seulement de travailler sur le site pour me dédommager.

A ces mots, Easton se raidit.

— Je vous rembourserai les dégâts qu'il a causés.

— Il n'en est pas question. Rich a besoin d'assumer ses actes et d'apprendre qu'un Hunter n'est pas forcément un sale type.

— Etes-vous en train d'insinuer que j'en suis un ?

— Je refuse d'entrer dans ce petit jeu, Kurt. Vous êtes responsable de la pérennité de cette vieille querelle de famille, et vous le savez.

— Les Hunter ont causé notre…

— C'était il y a soixante ans ! Les personnes impliquées dans cette histoire sont mortes depuis des années. Il est grand temps d'enterrer la hache de guerre. Si vous acceptez ma proposition, j'attends Rich demain à la première heure sur le chantier et il y travaillera jusqu'à la fin des vacances scolaires.

Il se dirigeait vers la porte quand Kurt le héla.

— Si vous pensez ainsi faire revenir à vous

Mariah, vous perdez votre temps. Ma fille sera toujours de mon côté.

— C'est avec ce genre de mentalité que vous avez troublé l'esprit de votre fils, Kurt. Mariah a de l'affection pour vous, mais elle m'aime. Allez-vous l'obliger à choisir ? Si vous continuez, elle finira par vous détester et par prendre la fuite une fois de plus.

— Il y a douze ans, elle est partie pour s'éloigner de *vous* !

— J'ai commis la pire erreur de ma vie en rompant avec Mariah au lycée. Je lui ai fait du mal et je me le reprocherai jusqu'à la fin de mes jours. A cette époque, ma famille et moi traversions beaucoup de difficultés. Mais je l'aime, et je ferai tout pour la rendre heureuse.

— Jusqu'ici, vous n'y avez pas tellement réussi…

— Alors peut-être pourriez-vous me donner un petit coup de main ? Mon offre est sur la table, à vous de jouer à présent. Etes-vous prêt à faire la paix ?

En descendant l'escalier, Mariah comprit que son père poursuivait une discussion animée avec quelqu'un. En s'approchant, elle reconnut la voix de Shane.

Elle mourait d'envie de se précipiter vers lui. Ne lui avait-il pas dit qu'il l'aimait ? Comment pouvait-il éprouver des sentiments pour elle après tout ce qu'avait fait Rich ? Comment pouvait-il vouloir s'unir à une famille qui s'acharnait à le détruire ?

Mais Easton reprenait la parole :

— Si vous avez de l'amour pour Mariah, prouvez-le : partez !

— Ainsi, vous voulez nous pousser l'un contre l'autre et me rendre responsable de tous vos maux ?

— Ma fille ne me quittera pas alors que je suis malade.

Mariah en avait assez entendu. Elle se doutait que son père était un manipulateur, mais cette fois il allait trop loin.

— Ne crois pas cela, papa, dit-elle.

Surpris, Easton se tourna vers elle.

— Mariah, tu devrais te reposer.

— J'ai suffisamment dormi.

Shane semblait épuisé. Sans doute ne s'était-il même pas couché cette nuit.

— Papa, j'ai besoin de m'entretenir en privé avec Shane.

D'une main tremblante, elle prit son mari par le bras et l'entraîna dehors.

— Parlais-tu sérieusement hier soir ?

— Bien sûr, assura-t-il en souriant.

— Comment peux-tu m'aimer après tout…

Shane posa un doigt sur ses lèvres pour l'interrompre.

— Tu n'as rien fait de mal, Mariah. Mes sentiments pour toi n'ont rien à voir avec les agissements de ta famille.

Lorsqu'elle se jeta à son cou, il l'embrassa avec passion.

— Je t'aime tant, Mariah, murmura-t-il à son oreille.

Blottie au creux de son épaule, elle s'abandonna. Elle avait tellement faim de ses baisers, de ses caresses.

— Shane, je t'aime moi aussi. Je voudrais partir d'ici et ne jamais revenir.

— Moi aussi, mais ce n'est pas possible pour le moment, chérie. Tu as besoin des tiens comme moi des miens.

— Qu'allons-nous faire ? Je désire être ta femme.

Les larmes brûlèrent les paupières de Mariah.

Maintenant, elle portait leur enfant, ils allaient fonder leur propre famille.

Shane lui sourit de ce petit sourire sexy qui la faisait fondre.

— Moi aussi, chérie, j'en meurs d'envie. Nous n'allons pas laisser ton père ruiner éternellement nos vies.

— Lui as-tu dit que nous nous étions mariés ?

— Mariés ! Vous vous êtes *mariés* ?

En reconnaissant la voix de Kurt qui s'approchait avec Cheryl, ils sursautèrent.

Mariah gémit. Ils n'avaient pas besoin d'une scène, mais à présent ils ne pouvaient plus l'éviter.

Shane se tourna vers son beau-père.

— Oui, j'ai épousé Mariah à Las Vegas. Et je suis fou de votre fille.

— Et comment comptez-vous l'entretenir ?

— Arrête, Kurt, intervint Cheryl. Ne vois-tu pas à quel point ils sont heureux ensemble ? Malgré toutes tes manigances, tu n'as pas réussi à les séparer. Et si tu continues à t'entêter à le faire, tu perdras tout.

Puis elle la prit dans ses bras avec chaleur.

— Chérie, j'aurais voulu célébrer ton mariage en grande pompe, mais j'espère au moins pouvoir m'occuper de la réception.

206

Elle embrassa également Shane.

— Je sais que vous l'aimez et que vous la rendrez heureuse.

— Oui, madame, je m'y engage.

Mais Kurt ne déposait pas les armes.

— Mariah, tu es complètement folle. Ce type n'a même pas de situation stable ! rugit-il.

— Détrompe-toi. Il vient de décrocher un important contrat pour un chantier à Las Vegas.

Etonné, Shane se tourna vers elle.

— Ils ont accepté ?

— Oui, j'ai reçu le fax ce matin.

— Formidable ! dit-il en l'embrassant tendrement.

Mais soudain un mouvement se fit du côté du portail. Les Hunter arrivaient en force : Nate, Tori et Betty.

— Nous sommes là pour nous assurer que tout va bien, lança Betty. Avez-vous annoncé votre mariage ?

— Mais oui ! répondit Cheryl en s'approchant pour les saluer. C'est une merveilleuse nouvelle. Nous allons porter un toast à la santé des jeunes mariés. Sarah, dit-elle à son employée de maison, auriez-vous la gentillesse d'aller chercher une bouteille de champagne ?

— Ta mère au moins a l'air de se réjouir de notre union, souffla Shane à l'oreille de Mariah.

— Ce n'est pas elle qui m'inquiète, répondit-elle sur le même ton.

Shane remarqua Kurt qui ruminait, seul dans son coin.

— J'aimerais tant qu'il comprenne !

— Je sais, et je t'aime encore plus pour cela. Shane, il y a quelque chose que je voudrais te dire, quelque chose que nous n'avions pas prévu. Je suis…

Le pet du bouchon de champagne l'interrompit, et bientôt tout le monde les embrassa et les félicita.

Tori s'adressa à Mariah avec un sourire complice.

— Lui en as-tu parlé ?

— Parlé de quoi ? s'enquit Shane.

Comme Tori s'éloignait, elle se tourna vers son mari.

— Tu sais, quand nous avons décidé de nous marier et de mettre un point final à cette dispute familiale…

— Je ne t'ai pas épousée pour cela !

— Moi non plus, j'ai accepté de devenir ta femme parce que je t'aime. Et d'ailleurs, notre mariage n'a pas mis fin à ces vieilles querelles.

— Mais peut-être ton père finira-t-il par évoluer et…

— Et si nous allions plus loin, Shane ?

— Oui, mais comment ?

— En offrant à nos deux familles une raison commune de se réjouir.

— Un… Un enfant ?

— Tu sais, lors de notre nuit de noces, nous n'étions pas protégés…

— Je te désirais si fort que je n'y pensais plus.

Soudain, il parut comprendre.

— Mariah, tu es… *enceinte* ?

A ces mots, toutes les têtes se tournèrent vers eux.

— Oui, chéri, nous allons avoir un bébé.

Dans un brouhaha d'exclamations de joie, Shane la serra contre lui.

— Je n'ai jamais été aussi heureux de ma vie.

Ivre de joie, elle embrassa son mari. Elle ne pensait plus à la dispute ni au chantier ni à rien.

Elle ne pensait à rien d'autre qu'à son bonheur.

Épilogue

Six semaines plus tard, Shane, en smoking, regardait sa femme valser avec Nate sur la piste de danse du Country Club. Cheryl avait remarquablement bien organisé la réception, et la garden-party battait son plein sous un soleil radieux. Mariah passait d'un cavalier à l'autre et semblait s'amuser comme une folle.

Il n'en éprouvait aucune jalousie, tant il se réjouissait de la voir heureuse. Elle portait la même tenue rose qu'elle avait étrennée à Las Vegas et, comme lors de leur nuit de noces, il avait hâte de la lui retirer.

Maintenant, rien ne les séparerait plus.

A la fin de la valse, Nate fronça les sourcils en le voyant s'approcher.

— Ne t'inquiète pas, je prends soin d'elle. Je m'y connais en futures mères !

— C'est vrai, lui confirma Mariah. Et puis tu sais, je n'ai pas besoin d'être couvée.

Comme l'orchestre entamait une ballade irlandaise, il la prit dans ses bras.

— Mais je veux personnellement veiller sur toi. Je t'aime, Mariah.

— Je t'aime, moi aussi. Et avec toi, je me sens protégée, en sécurité.

— Dis-le donc à ton père ! Il ne cesse de me dévisager comme s'il attendait le meilleur moment pour me sauter à la gorge. Il m'a prévenu que si je ne m'occupais pas correctement de toi, je trouverais à qui parler.

— Je suis si contente que vous ayez fait la paix, tous les deux !

Ils ne seraient sans doute jamais en excellents termes, Kurt estimerait toujours que sa fille méritait mieux, mais ils avaient enterré la hache de guerre et conclu une trêve.

— Ce n'est pas encore l'entente cordiale, mais j'espère que nos rapports s'amélioreront avec le temps. Je vais prouver à mon beau-père qu'il a tort de s'inquiéter.

— Tu n'as rien à prouver à personne, Shane, assura Mariah en souriant. Tu as beaucoup travaillé depuis deux ans et tes efforts ont été couronnés de succès. Hunter & Cie s'est vu confier trois nouveaux chantiers. Ton entreprise a de l'avenir !

En effet, à sa grande surprise, plusieurs investisseurs l'avaient contacté pour bâtir d'autres lotissements dans la région.

— Sans toi, je n'aurais pas réussi à décrocher ces contrats, dit-il en l'embrassant.

— Et moi, je n'ai jamais été aussi heureuse, repartit Mariah.

— Mais j'espère que tu n'en feras pas trop, avec ce bébé, reprit Shane. Et puis, il faut absolument que je nous trouve un logement décent. Mon appartement est beaucoup trop petit.

— Je me sens chez moi partout où tu es, chéri. Et nous avons six mois pour dénicher autre chose.

— A ce propos, je voulais te dire… Mais regarde qui arrive.

Le clan Hunter au grand complet s'approchait d'eux.

— Il est temps de prendre la poudre d'escampette, murmura Shane.

— Ce serait grossier de notre part ! Ta famille est venue partager notre joie.

— D'accord, mais promets-moi que nous partirons ensuite. Notre lune de miel nous attend.

Avant que Mariah puisse répondre, Betty, Sam, Nate, Tori et Emily les entourèrent. Cette dernière semblait rayonnante.

212

— Shane, Mariah, devinez qui va incarner à l'écran le héros de mon scénario ?

— Tom Cruise ?

— Non. Camden Peter !

— Camden Peter ! s'écria Tori. Mais c'est formidable ! Il est si beau !

Shane et son frère se regardèrent. Ils ne comprenaient pas ce que leurs femmes trouvaient à cet acteur.

— J'ai entendu dire qu'il avait plus de quarante ans, remarqua Shane.

— Cela ne l'empêche pas d'être très séduisant, risposta sa mère. Les hommes sont comme les bons vins : ils se bonifient avec les années.

A l'expression de Sam, Shane devina que l'ami de sa mère n'appréciait pas non plus l'engouement de Beth pour ce Camden Peter.

Décidant qu'il était temps de s'esquiver, il prit le bras de sa femme.

— Pardonnez-nous de vous laisser, mais nous devons aller saluer les autres invités, mentit-il.

Fendant la foule, il l'entraîna vers la sortie, ralentis par les gens qui les arrêtaient au passage pour les saluer et les féliciter. Lorsque enfin il réussit à s'isoler avec Mariah, elle lui expliqua d'un air penaud :

— Nous ne pouvons pas partir maintenant, Shane. J'ai promis à maman de rester au moins jusqu'à minuit.

Avec un gémissement, il essaya de capturer sa bouche.

— Ce n'est pas juste, s'écria-t-elle. Si tu me tentes ainsi, je vais finir par céder.

— J'ai seulement envie que tu arrêtes de me parler de cet acteur.

— Tu es jaloux ! Comme c'est agréable pour une femme enceinte dont la taille est déformée de voir son mari jaloux !

— Tu es plus belle que jamais. Et quand ton petit ventre sera énorme, tu seras encore pour moi la fille la plus sexy du monde.

A ces mots, les yeux de Mariah se remplirent de larmes.

— Oh, Shane, comme je t'aime, je n'ai jamais aimé que toi.

— J'ai commis beaucoup d'erreurs à ton égard, ma chérie, mais moi non plus je n'ai jamais cessé de t'aimer. Et je ferai de mon mieux pour être un bon père et un bon époux.

— Tu es un mari merveilleux, et je suis sûre que tu feras un papa extraordinaire. Et je ne te remercierai

214

jamais assez de ce que tu as fait pour Rich. Depuis qu'il travaille avec toi, il est métamorphosé.

— A présent, mon seul souci est de trouver un toit pour notre famille. Le cadeau de mariage de ton père sera peut-être la solution à nos problèmes de logement… Il m'a proposé de nous donner une des maisons du chantier. Ta préférée, la numéro six.

Il aurait préféré se passer de la générosité de Easton, mais il avait une femme et bientôt un enfant à nourrir.

— Oh Shane, c'est merveilleux ! Qu'en penses-tu ?

— Au départ, j'étais furieux parce que je voulais contribuer seul aux besoins du ménage, mais ce geste prouve sa bonne volonté. La hache de guerre est enterrée puisqu'il est prêt à nous aider. A mon avis, c'est le bébé à venir qui explique ce revirement spectaculaire.

— Quelle chance nous avons !

— Je sais. Alors, allons-nous accepter son offre ?

— Bien sûr, nous serons très bien installés.

Shane serra sa femme contre lui.

Il avait épousé celle qu'il aimait, ils attendaient leur premier enfant, son entreprise marchait bien, et le conflit qui opposait les Hunter aux Easton appartenait désormais au passé.

A présent, il avait de quoi être heureux la vie entière.

15 juin 2007

Horizon

collection

LA FAMILLE IDÉALE, de Patricia Thayer • n°2115

Quand elle fait la connaissance, sur le tournage d'un film, de Reece McKellen, Emily Hunter est bouleversée : en effet, elle est séduite dès le premier regard par ce cascadeur aussi troublant qu'énigmatique. Et elle sent son cœur fondre de tendresse pour la petite Sophie, la nièce de quatre ans de Reece, que celui-ci a recueillie depuis peu. Pourtant, Reece semble se méfier d'elle, et surtout de ses propres sentiments...

LE BÉBÉ DU HASARD, de Donna Clayton • n°2116

 Directrice d'une agence de baby-sitting, Sophie Stanton décide de prendre les choses en main quand un certain Michael Taylor remercie successivement trois des personnes qu'elle avait recrutées pour lui, et menace de ternir la réputation de son établissement. Résolue à satisfaire ce client exigeant, elle lui propose d'aller s'occuper elle-même de la petite Hailey, le bébé d'un mois de Michael...

AU JEU DE L'AMOUR, de Jackie Braun • n°2117

Le jour où elle apprend que Luke Banning, son amour de jeunesse, est de retour à Trillium, où ils ont tous deux grandi, Ali Conlan ne sait comment réagir. Persuadée toutefois qu'elle n'est plus amoureuse de lui, elle accepte de le revoir... Pour s'apercevoir très vite que Luke n'a rien perdu de son pouvoir de séduction...

RÊVES DE BONHEUR, de Roxann Delaney • n°2118

Journaliste pour un magazine de voyages, Meg Chastain a décidé d'enquêter sur le Triple B, un nouvel hôtel qui vient d'ouvrir au Texas, de manière anonyme. Pourtant, quand elle fait la connaissance de Trey Brannigan, le propriétaire des lieux, elle comprend que sa mission s'avérera plus difficile que prévu. En effet, elle ne sait si elle pourra résister bien longtemps au charme de Trey...

69 L'ASTROLOGIE EN DIRECT
TOUT AU LONG
DE L'ANNÉE.

(France métropolitaine uniquement)
Par téléphone 08.92.68.41.01
0,34 € la minute (Serveur JET MULTIMÉDIA).

Composé et édité par les
*éditions*Harlequin
Achevé d'imprimer en avril 2007

BUSSIÈRE
GROUPE CPI

à Saint-Amand-Montrond (Cher)
Dépôt légal   mai 2007
N° d'imprimeur   70452 — N° d'éditeur   12805

Imprimé en France